KB196164

나는 일주일 전으로 갔다

나는 일주일 전으로 갔다

실비아 맥니콜 지음 | 이계순 옮김

라임

차례

7월 1일 목요일

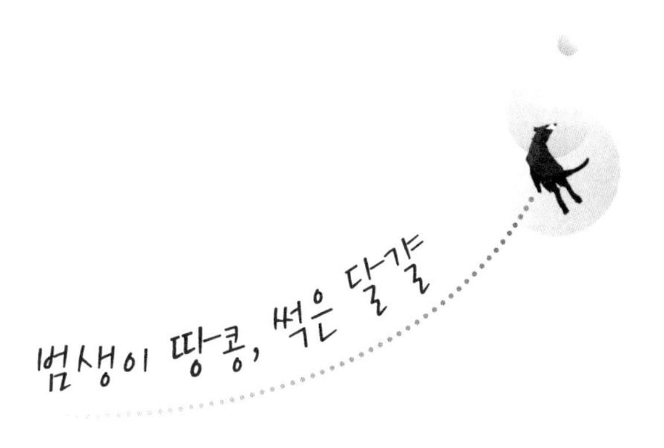

범생이 땅콩, 썩은 달걀

지나간 일을 뼈저리게 후회해 본 적이 있는가? 수백만 번을 곱씹으며 지금과 다른 결말을 상상해 본 적은…….

지난 주말에 디젤이 차에 치여 죽었다. 다 내 잘못이다. 루앤을 돌봐 주러 갈 때 디젤도 함께 데려갔어야 했다. 디젤이 루앤을 얼마나 좋아했는데.

대문이 잘 잠겼는지, 울타리 밑에 디젤이 빠져나갈 만한 구멍이 없었는지 제대로 살폈다면 상황이 달라졌을까? 교통사고를 낸 그 스마트 자동차가 디젤 앞에서 급히 브레이크를 밟거나 그냥 옆으로 휙 스쳐 지나가는 모습을 수없이 그려 보았다.

그랬다면 디젤이 두 귀를 깃발처럼 펄럭이며 사뿐사뿐 내 뒤를 따라왔을 테지.

나는 지금 이모네 집의 현관 계단에 앉아, 이제 십오 개월 된 사촌 동생 루앤을 어르고 있다. 이모가 돌아올 때까지 젖병에 우유가 남아 있기를 바라면서.

오늘은 7월 1일 목요일, 캐나다 건국 기념일이어서 공휴일이다. 하지만 우리 가족은 모두 일하느라 바쁘다. 사실 해마다 늘 그랬다.

엄마는 이렇게 말했다.

"서비스업이 다 그렇지, 뭐. 너는 그날 뭐 할 거니?"

6월 초부터 이어진 더위가 점점 더 기승을 부리고 있었다. 오죽하면 아빠는 이런 말까지 했다.

"얼마나 더운지, 길바닥에서 달걀 프라이도 할 수 있겠어."

심지어 지난달에는 그걸 직접 실험하려 들었다.

"과학적으로 불가능해. 그리고 달걀 프라이 담당은 나라고!"

엄마가 조리대 앞에서 달걀 상자에 손을 뻗으며 소리쳤다. 하지만 아빠는 아랑곳하지 않고 엄마 옆에 있던 달걀 상자를 들고 밖으로 달려 나갔다.

"이리 가져와! 지금 아침 준비하고 있잖아!"

엄마가 큰 소리로 외쳤지만 이미 소용이 없었다. 아빠 등 뒤로 현관문이 쿵 닫혔다. 나는 디젤과 함께 허겁지겁 그 뒤를 쫓아갔다. 아빠는 진입로로 달려가더니 달걀 하나를 깨뜨렸다. 흰자와 노른자가 뒤섞인 채 사람들이 다니는 거리 쪽으로 주르르 흘러갔다.

"그만하라고!"

엄마가 또 한 번 소리쳤다. 디젤도 왈왈 짖었다.

"밑에만 살짝 익었네!"

아빠는 이렇게 말하고는 자신의 낡은 자동차 지붕에 대고 달걀을 두 개나 더 깼다. 흰자와 노른자가 옆으로 스르륵 퍼지는가 싶더니, 가장자리가 하얗게 변하기 시작했다.

"어, 조금씩 익는다!"

나도 모르게 이렇게 외쳤다.

"지금 우리한테 이럴 돈이 어디 있다고!"

엄마는 분통이 터진 나머지 울음을 터뜨렸다. 아빠는 이쯤에서 멈추고 상자 안에 든 마지막 달걀 두 개로 아침을 만들어야 했다. 그랬다면 다 같이 웃고 넘어갈 수 있었을 거다.

하지만 아빠는 은박지와 돋보기를 가지러 집으로 들어갔다. 그 도구들을 제대로 사용했다면 실험은 어쩌면 성공을 했을지도 모른다. 그런데 아빠가 자동차 지붕에 나머지 달걀을 깨는 순간, 디젤이 홀라당 핥아먹어 버렸다.

바로 그때, 엄마가 아빠 옷이 든 여행 가방을 문밖으로 내던지며 외쳤다.

"어른답게 행동하는 법을 배우도록 해. 그래야 다시 돌아올 수 있어."

차라리 아빠가 아침을 만들어 줬더라면 얼마나 좋았을까? 그랬다면 엄마는 아빠가 결혼기념일 선물로 사 준 초대형 텔레비전도 용서했을지 모른다. 엄마는 영화 보는 걸 정말로 좋아하니까, 지금쯤 우리가 다 함께 살고 있을지도. 디젤도 같이 말이다.

엄마가 도넛 타임에서 일자리를 구하지 않아도 되었을 테고.

먹구름 사이로 노란 태양이 언뜻언뜻 비쳤다. 마치 검은 프라이팬 위에 달걀노른자가 보글보글 익고 있는 것처럼.

어제와 그제처럼 천둥이 치고 비가 쏟아질지도 모르겠다.

"그래그래, 엄마가 곧 오실 거야."

나는 루앤의 축축한 이마를 손으로 쓰다듬으며 살살 달랬다. 살갗이 뜨끈뜨끈했다. 하도 더워서 루앤은 낮잠도 자지 못했다. 평소에는 내내 웃으며 종알종알 떠드는데, 오늘은 계속 보채기만 했다.

젖병은 내 최후의 수단이었다. 사실 루앤은 젖병을 쓸 시기는 이미 지났다. 하지만 태어날 때부터 심장이 약해서 가능한 한 흥분하지 않도록 신경 써서 돌봐야 했다.

이모는 오후 2시에 교대 근무가 끝난다. 손목시계를 들여다보니, 오후 3시 30분이었다.

"요즘엔 다 휴대폰으로 시각을 보는데."

지난 생일에 아빠한테 이 손목시계를 선물로 받고서 투덜투덜 불평을 늘어놓았다. 고리타분하게, 빨간색 디지털 시계라니!

"이 시계는 이백 미터까지 방수가 돼. 이렇게 방수 기능이 좋은 휴대폰 있으면 한번 가져와 봐."

아빠가 굴하지 않고 큰소리를 쳤다.

"칫, 그럼 아빠도 친구한테 문자 보낼 수 있는 시계 있으면 한번 가져와 보세요. 게다가 나는 물속에 들어갈 일이 없다고요. 수영도 못 하는데."

나는 괜히 짜증을 부렸다.

지금은 이것도 후회가 되었다. 손목시계를 내려다보며 설핏 미소를 지었다. 아빠의 어리숙한 면이 고스란히 느껴졌다. 나는 진심으로 아빠와 함께 살기를 바랐다. 아빠가 곁에 없으니까 더 어른스럽게 살아야 했다.

이모는 한 시간 전에 이미 왔어야 했다. 루앤은 내 품속에서 입을 오물거리며 젖병을 쪽쪽 빨았다. 이모는 도대체 언제 오는 걸까?

저 앞 도로에서 아지랑이가 피어올랐다. 달걀 프라이를 할 순 없어도 소시지를 구울 수는 있을 것 같았다. 아빠는 이렇게 더운 여름날을 '개의 날'이라고 불렀다. 이 시기에 큰개자리의 알파성인 시리우스가 해와 함께 하늘로 떠오르기 때문이라나.

하늘에서 가장 밝은 별이라고 하지만, 여름의 한낮에는 시리우스를 볼 수가 없었다. 이제 더는 디젤을 볼 수 없는 것처럼. 디젤은 내 열 번째 생일에 아빠가 준 선물이었다.

"돌봐야 할 게 하나 더 늘었네."

엄마는 디젤을 보자마자 이렇게 투덜거렸다. 하지만 커다란 눈망울을 한 채 뛰어다니는 강아지를 그 누가 끝끝내 마다할 수 있을까? 엄마조차도 그럴 수 없었다. 디젤이 양말과 속옷, 신발, 심지어는 강아지 간식을 보관하는 찬장의 문까지 잘근잘근 씹어대기 전까지는……. 사실 그뿐만이 아니었다. 때때로 소파에서 토악질을 하고 마당을 마구 파헤치기도 했다. 엄마는 이 모든 것을 전부 아빠 탓으로 돌렸다.

어쨌거나 디젤은 곰처럼 커다랗게 자랐다. 일주일 전, 바로 그 날은 내 발밑에 엎드려 숨을 할딱이고 있었다. 언제든 밖으로 뛰어나갈 것마냥. 하지만 나는 루앤을 돌봐야 했기 때문에 혼자 집을 나섰다. 디젤을 데리고 나갈 만큼의 여유가 없었다.

만약 그때 디젤을 데리고 집을 나섰다면……, 어땠을까?

엄마도 디젤을 그리워하고 있었다. 엄마를 둘러싸고 있던 분노가 풍선에 든 바람처럼 몸에서 다 새어 나간 듯이 보였다. 더는 잔소리할 대상이 없어졌기 때문이리라.

"디젤 언제 산책시킬 거야? 네 개인데 내가 밥까지 챙겨 줘야 하니? 빗질 좀 해 주지? 털이 여기저기 날리잖아."

머릿속에서 엄마의 잔소리가 들려왔다. 디젤이 쿵쿵거리는 소리와 발톱으로 바닥을 긁는 소리, 왈왈 짖는 소리도 들렸다. 우리 집에는 이제 적막감만 감돌았다. 분노는 어느새 슬픔으로 바뀌어 있었다.

나는 루앤을 고쳐 안은 뒤 디젤의 따뜻한 등 위에 맨발을 내려놓았다. 발밑에서 디젤의 가슴이 오르락내리락했다. 커다란 심장이 쿵쿵 뛰며 "잘될 거야, 다 잘될 거야."라고 말하는 듯이.

사실 이건 내 상상이다. 발밑의 열기는 현관 바닥에서 올라오는 거였다. 그때 루앤이 공기를 빨아들이는 듯한 소리를 내며 숨을 가쁘게 내쉬었다. 갈색 눈이 한결 커져 있었다. 나는 루앤의 뜨끈한 몸을 안은 채 젖병을 더 깊이 기울였다.

"조금만 더 기다려, 조금만 더. 엄마가 곧 오실 거야."

손으로 햇빛을 가리고는 길모퉁이에 있는 버스 정류장을 뚫어지게 바라보았다. 이모, 얼른 와요, 얼른!

"엄마가 탄 버스가 어디쯤 왔을까?"

내가 이렇게 말하는 순간, 모건 핸슨의 목소리가 뜨겁고 무거운 공기를 날카롭게 갈랐다.

"시내 중심가에 우회로 표지판이 있더라고."

나무마냥 키가 삐죽이 큰 모건이 어느새 코앞으로 다가와 있었다. 모건은 작년에 이모네 집 맞은편으로 이사를 왔다. 하지만 그다지 친한 사이는 아니었다.

"휴일인데도 아기를 보는 거야?"

"응, 우리 가족이 뿔뿔이 흩어져 있어서."

내 말에 모건이 나뭇가지처럼 가느다란 어깨를 으쓱해 보였다. 그러고는 주위를 둘러본 뒤 한숨을 낮게 내쉬었다.

"아기 보는 거 끝나면 나랑 같이 수영하러 갈래?"

"아니, 너 혼자서 가."

모건은 체육 시간에 내가 수영을 얼마나 못하는지 봐서 잘 알고 있었다. 그런데도 일주일 내내 수영장에 같이 가자고 졸라 댔다. 마치 나하고 절친이라도 되고 싶은 것처럼.

"그 개 때문에 슬퍼서 그러는구나. 네 맘 이해해. 참, 너는 돈 쓰는 거 아주 싫어하지? 이번엔 해밀턴 호숫가로 갈 거야. 거긴 돈이 하나도 들지 않아. 나도 네 체크 카드 잔액이 줄어드는 걸

원하지 않거든."

모건의 연한 잿빛 눈동자가 내 머릿속을 읽으려는 것처럼 가늘어졌다. 나도 짐짓 눈을 가늘게 뜨고 대꾸했다.

"디젤. 우리 집 개 이름은 디젤이었어. 그리고 참고로 말하면, 나는 체크 카드를 쓰지 않아. 내 돈은 통장에 고대로 있지. 나중에 대학 등록금으로 쓸 거거든."

엄마와 아빠는 내 대학 등록금은 고사하고 저축할 돈마저도 없었다. 나는 루앤 같은 어린아이들의 심장을 치료해 주는 전문의가 되는 게 꿈이었다.

"뭐, 어쨌든 호숫가는 공짜야. 게다가 선착순으로 이백오십 명한테 아이스크림을 나눠 준대. 그러니까 서두르는 게 좋아."

"기다리지 마. 우리 이모가 우회로 표지판 때문에 늦게 오신다면 더더욱 그렇지."

그렇게 말하면서도 마음 한구석에서는 모건이 기다려 주길 바랐다. 진짜 친구처럼 말이다.

모건의 부모님도 따로 살았다. 그런 면에서는 공통점이 있었다. 게다가 바다처럼 드넓은 호숫가에 가면 흰 돛을 단 채 푸른 물결을 타고 미끄러지듯 나아가는 요트를 볼 수 있을 거다.

아무래도 나의 이런 상상력은 아빠한테서 물려받은 것 같다. 때때로 나의 큰 결점으로 작용하기도 한다, 지금처럼……. 모건은 이미 학교 수영장에서 나를 놀린 적이 있었다. 물속에서 두 팔을 버둥거리며 코로 물을 하염없이 들이마시는 내 모습을 과

장된 몸짓으로 우스꽝스럽게 흉내 내 웃음거리로 만들었다.

"어, 저기 루앤 엄마 오시네!"

그때 모건이 갑자기 소리쳤다.

나는 루앤을 똑바로 안았다. 버스가 오는 소리도 듣지 못했는데, 어느새 캐시 이모가 커다란 엉덩이를 흔들며 우리 쪽으로 걸어오고 있었다.

루앤이 통통한 두 팔을 앞으로 뻗으며 몸부림을 쳤다. 루앤을 바닥에 조심스럽게 내려놓자, 이모를 향해 아장아장 걸어갔다.

"마, 마!"

지난달에 걸음마를 뗀 아이치고는 무척이나 빠른 속도였다. 이모는 더위에 얼굴이 벌겋게 달아올라 있었다. 하지만 루앤의 팔이 닿을 만한 거리로 다가오자 미소를 함빡 지으며 꽉 끌어안았다. 뒤이어 볼에 뽀뽀를 하며 귀에 대고 나지막이 속삭였다.

"우리 루앤, 엄마가 엄청 사랑하는 거 알지?"

그러고는 나를 보며 말을 이었다.

"고마워, 나오미. 네가 우리 루앤이랑 있어 주어서 얼마나 마음이 놓이는지 몰라."

나는 고개를 끄덕이며 빈 젖병을 들어 올렸다.

"오늘은 너무 더워서 루앤이 좀 힘들어 했어요. 우유도 다 떨어졌고요."

이모가 루앤의 등을 토닥이며 말했다.

"미리 알았으면 좋았을걸. 그럼 오는 길에 사 왔을 텐데."

그랬다면 이모는 더 늦게 왔을 것이다.

"저희가 해밀턴 호숫가에 갔다가 오는 길에 사 올게요."

모건이 끼어들었다.

"야, 내가 언제 간다고 했……."

"오, 그래 주면 고맙지."

이모는 내 말이 채 끝나기도 전에 환히 웃으며 대답했다. 그러고는 가방을 열고 지갑을 꺼냈다. 모건은 이모를 향해 싱긋 웃고는 나에게 윙크를 했다. 모건 때문에 꼼짝없이 호숫가에 가게 생겼다. 나는 일부러 모건을 째려보았다.

이모가 지갑을 탈탈 터는 걸로 보아, 오늘도 내 일당은 없는 모양이었다. 이모는 벌써 이 주째 루앤을 돌본 값을 주지 못하고 있었다. 내가 이것 때문에 속상해서 불평을 늘어놓으면 엄마는 이렇게 말하곤 했다.

"나오미, 가족끼리 무슨 돈이니?"

나한테도 엄연히 여름 방학 계획이 있었다. 이모가 메이플 매너에서, 엄마가 도넛 타임에서 일자리를 구하기 전까지는.

방학 때 수영을 배우고 싶었지만, 루앤을 돌보느라 포기해야 했다. 그러니 그 대가로 나한테 뭔가를 줘야 하는 거 아닌가? 그런데 문제는 우리 가족이 모두 찢어지게 가난하다는 거다.

"거스름돈으로 간식이라도 사 먹어."

이모가 말했다.

"고맙습니다."

나는 건성으로 대답했다. 어차피 돈이 딱 맞아서 거스름돈이 생기지 않을 것 같아서였다.

내가 우리 집 쪽으로 걸음을 옮기자, 모건이 의아한 얼굴로 물었다.

"어디 가? 호숫가는 이쪽이야."

"너 먼저 가. 나는 집에 가서 수영복 좀 챙기려고."

"그럴 필요 없어."

내가 미간을 찌푸리자, 모건이 소리 내어 웃었다.

"잘 들어. 내가 인싸 되는 법을 알려 줄게. 속옷만 입은 채로 물속에 풍덩 뛰어드는 거야. 그러면 근처 식당에 있던 사람들의 눈이 전부 튀어나올걸?"

"나는 절대 못 해!"

"당연히 그렇겠지."

모건이 내 어깨를 주먹으로 툭 쳤다. 아, 맞다. 얘는 자기가 엄청 웃기는 줄 알지.

"아이고, 장난이야. 옷 입은 채로 슬리퍼만 벗고 들어가면 돼, 이 바보야."

모건이 긴 다리로 성큼성큼 앞서가며 말을 이었다.

"얼른 가면 시몬을 볼 수 있을지도 몰라."

"그게 나랑 무슨 상관인데?"

검은 머리카락에 새까만 눈동자, 거기에 키까지 훤칠하게 큰 시몬에게는 내가 보이지도 않을 텐데. 우리 학교 여자아이들 대부분이 내 존재를 모르고 있는 것처럼.

하지만 모두들 시몬은 잘 알고 있었다. 작년에 시몬이 우리 학교를 졸업할 때, 여자애들이 어찌나 통곡하듯이 처절하게 울어 대던지…….

"고작 아이스크림이나 먹으려고 온 사람이 몇이나 있겠어?"

내 말에 모건이 고개를 돌려 미소 지었다.

모건은 아이스크림 가게 앞에 줄이 얼마나 길게 늘어서 있는지, 심지어는 호숫가에 시몬이 진짜로 있는지 없는지조차 모르고 있을 게 뻔했다. 그저 나를 가지고 노는 게 재미있을 뿐.

나는 슈퍼마켓에서 우유를 산 뒤 곧장 집으로 돌아가리라고 마음먹었다. 그러다 문득 디젤을 데리고 호수로 걸어가는 내 모습을 떠올렸다. 곧이어 고개를 절레절레 흔들며 방금 상상했던 장면을 머릿속에서 지워 버렸다. 이제는 어디든 혼자 다녀야 했다, 디젤 없이…….

"그런데 왜 하필 나랑 같이 가려는 거야?"

나는 모건을 바싹 따라잡으며 물었다. 모건의 키는 내 머리 위로 한참이나 삐죽 솟아 있었다. 그래서 둘이 같이 다니면 모건은 더 꺼벙해 보였고, 나는 더 보잘것없게 느껴졌다.

"작년에 네가 공부를 도와준 덕분에 내 성적이 좀 올랐잖아. 그러니 우리 둘이 공평하려면, 이번에는 네가 친구를 사귈 수 있도록 내가 좀 도와줘야 하지 않겠니?"

"그럼 키를 더 크게 해 주거나 나이를 더 먹게 해 줄 수도 있어? 그렇게만 해 주면 내가 친구를 잘 사귈 수 있을 것 같거든."

나는 12월에 태어났다. 그래서인지 어느 반에 가든 늘 키가 제일 작았다. 이러다간 학교에서 미니 마스코트가 될 지경이었다.

"아니, 키를 어떻게 맘대로 크게 만드니? 하지만 너랑 나랑 어울리면 적어도 외톨이는 아니게 되잖아."

"나는 혼자 있는 게 더 좋아!"

사실 디젤이 살아 있을 때는 그랬다. 나한테 필요한 건 그때나 지금이나 디젤뿐이었다.

"나오미, 넌 외톨이로 보이는 게 좋니?"

"상관없어."

모건이랑 다니면 오히려 내 이미지만 더 나빠질 수도 있었다. 모건은 그런 방면으로 도가 튼 아이였다. 사람들 앞에서 내가 말하거나 걷는 모습, 혹은 공을 튕기는 모습을 흉내 내어 나를 더 괴상하게 보이도록 만드는 게 취미였다.

우리는 거리를 따라 쭉 내려갔다. 도로는 자동차들로 복작였다. 차들이 마구 뒤섞인 채 뜨거운 배기가스를 내뿜으며 요란하게 경적을 울려 댔다.

"잠깐만."

모건이 길모퉁이에 있는 편의점 앞에서 걸음을 멈추었다.

"너무 덥다. 시원한 거 먹을래? 너희 이모가 주신 돈 좀 줘 봐."

"안 돼, 이건 우유 살 돈이야. 정 먹고 싶으면 네 돈으로 사. 게다가 지금 공짜 아이스크림을 먹으러 가는 길이잖아."

"아, 진짜! 그럼, 여기서 기다려."

모건은 이렇게 말하고는 편의점으로 후다닥 뛰어 들어갔다. 나는 땡볕 아래 가만히 서 있었다. 몇 분 지나지 않아, 모건이 누군가에게 쫓기듯 허겁지겁 밖으로 뛰쳐나왔다. 나는 멋모르고 무작정 같이 뛰었다. 곧이어 모건이 소리쳤다.

"야, 여기 좀 봐!"

그 소리에 몸을 돌리자마자, 로켓 모양의 아이스바가 휙 날아왔다. 나는 간신히 아이스바를 두 손으로 잡아챘다. 하지만 모건에게 아이스바를 도로 내밀었다.

"됐어. 난 훔친 건 안 먹어."

"무슨 소리야? 이거, 돈 주고 산 거야."

"그럴 시간이 없었잖아."

"하긴, 내가 빨리 나오긴 했지. 동전 몇 개를 거의 던지다시피 하고 뛰어나왔으니까. 거스름돈이 얼마인지 묻지도 않았어."

모건이 나를 쿡 찌르며 말을 이었다.

"얼른 먹어. 안 갚아도 되니까."

모건의 말이 믿기지는 않았지만 더는 거절하기도 어려웠다. 나는 아이스바의 포장지를 벗기고 짜릿할 정도로 시원한 맛을 느꼈다.

"고마워."

"네 뒤엔 언제나 내가 있어."

모건은 누군가가 고맙다고 하면 늘 이렇게 대답했다. 내가 인생에서 유일하게 안 좋은 성적을 받았던 그날을 제외하곤.

그날 나는 모건에게 수행 평가 과제 발표를 위해 큰 종이에 그래프를 그려 와 달라고 부탁했다. 그런데 모건은 구겨진 마분지에 그래프를 색연필로 아무렇게나 찍찍 그려 왔다. 누가 봐도 성의 없이 대충 만든 게 분명했다.

모건은 내가 왜 화가 났는지조차 이해하지 못했다. 그때부터 친구들 앞에서 나를 '범생이 땅콩'이라고 부르기 시작했다. 지금은 모두들 나를 그렇게 부르고 있었다. 나에게는 오히려 모건으로부터 나를 지켜 줄 친구가 더 절실했다.

우리는 아이스바를 핥으며 연립 주택과 술집, 식당을 차례로 지나갔다. 호수 주변의 도로를 따라 걷다가 호숫가로 방향을 틀었다. 어디선가 비릿한 냄새가 나기 시작했다. 순간, 어떤 기억이 쓰나미처럼 몰려와 나를 덮쳤다.

디젤이 내가 던져 준 막대기를 쫓아 열심히 달려갔다. 모터보트처럼 물보라를 일으키며 물속으로 뛰어드는 디젤의 모습은 언제 봐도 좋았다. 꽤 침착하게 물살을 가르며 호수 한가운데로 나아가곤 했지만, 정작 막대기를 가져온 적은 한 번도 없었다.

아직도 디젤의 모습이 선명하게 떠올랐다. 그러자 심장이 점점 옥죄면서 발에 힘이 빠지기 시작했다.

"나오미, 왜 그래? 괜찮아? 저기 좀 봐. 모두 저쪽에 있네. 톰, 타라, 수링, 브레나, 프란체스카……, 그리고 시몬."

모건은 짐짓 장난스러운 목소리로 마지막 이름을 보탰다.

"와, 고등학교 인싸들이 다 모여 있잖아."

하지만 대부분의 사람들은 호수 건너편에 있었다. 이쪽에는 요트도 없었고 개도 없었다. 당연히 공짜로 아이스크림을 먹기 위해 길게 늘어선 줄도 없었다.

나는 모건의 뒤를 천천히 따라갔다. 저 멀리 조르바의 테라스 식당 앞으로 쭉 뻗어 있는 부두 끝에 고등학생들이 모여 있었다. 뜨거운 열기 속에서 그들의 모습이 신기루처럼 부옇게 반짝거렸다.

그쪽을 향해 얼마쯤 걸어가자, 부두의 중간쯤에서 걷고 있는 시몬이 보였다. 시몬의 부드러운 머리카락은 이미 촉촉하게 젖어 있었다. 가슴팍에 맺힌 물방울이 햇빛을 받아 반짝거렸다.

시몬은 힘차게 세 걸음을 내디딘 뒤, 부두 끝에서 펄쩍 뛰어 물속으로 몸을 날렸다. 시몬에게 박수갈채를 보내듯 물줄기가 공중으로 솟구쳐 올랐다.

그다음에는 톰이 부두를 달려 힘껏 뛰어내렸다. 톰은 빨간 머리칼에 키가 크고 몹시 야위었는데, 어딘가 좀 허술해 보이는 면이 있었다. 대포알이 터지듯 물살이 사방으로 튀는 바람에 근처에 있는 여자애들이 흠뻑 젖었다. 여자애들은 소리를 꽥꽥 질러대더니, 톰을 따라 한 명씩 물속으로 뛰어들기 시작했다.

프란체스카는 고양이처럼 날렵하게, 타라는 고불고불한 머리카락을 흩날리며 우아하게 호수로 뛰어들었다. 브레나는 입을 삐죽 내밀며 꺄악, 하고 비명을 내질렀다. 여자애들은 하나같이 긴 머리카락에 매끈한 다리, 뽀얀 피부를 자랑하고 있었다. 정말로 멋져 보였다. 그리고 다들 수영을 할 줄 알았다.

나도 저 아이들과 함께 자유롭게 어울려 놀고 싶었다. 마침 타라가 나를 향해 손을 흔들었다.

"이리 와. 지금이 뛰어들기에 딱 좋아!"

'세상에, 저렇게 멋진 아이가 나한테 말을 거는 거야?'

나는 괜스레 기분이 좋아져서 가슴이 콩콩 뛰었다.

"물이 하나도 안 차가워!"

톰도 덩달아 소리쳤다.

호수는 분명 저 아이들의 머리가 잠길 만큼 깊을 터였다. 차라리 좀 더 얕은 곳으로 가서 물속을 걸어 다녀 볼까? 진흙 바닥에 배를 깔고 엎드려 있는 건 어떨까? 디젤이 그랬던 것처럼……. 디젤이 또 머릿속에 나타났다.

나 혼자 그러고 있으면 저 애들이 나를 버려 두고 가 버리겠지? 나는 그저 범생이 땅콩일 뿐이니까. 하긴, 누가 나한테 관심을 가져 주겠어?

그런데 아이들이 계속해서 나를 쳐다보았다.

"마지막으로 오는 사람은 썩은 달걀!"

그때 모건이 나를 뒤로한 채 부두 끝을 향해 힘차게 달려갔다. 그러고는 물속으로 첨벙 뛰어들었다. 나는 이제 범생이 땅콩이자 썩은 달걀이었다.

나는 부드러운 모래를 밟으며 호수를 향해 천천히 걸음을 옮겼다. 작년 9월에는 나도 다른 아이들과 함께 체육관에서 수영을 배웠다. 시 교육청에서 수영장을 폐쇄하기 전까지는. 물속에 서서 머리를 겨우 밖으로 내밀 즈음에 그만 예산이 삭감되고 말았다.

어느새 물이 발목까지 올라와 있었다. 발이 아이스바처럼 얼어붙으며 온몸에 한기가 돌았다. 물이 무릎 위까지 오면 더는 안으로 들어가지 않을 생각이었다.

이윽고 시몬과 톰이 물속에서 나와 부두 위로 올라갔다. 여자애들도 차례로 밖으로 나왔다. 그런데 모건이 갑자기 비명을 꺅 질렀다. 판자로 된 다이빙대 위에서 발을 구르며 유리창이 깨지는 듯한 비명과 함께 물속으로 뛰어들기를 반복했다.

"나오미, 얼른 와 봐. 진짜 재밌어!"

모건의 목소리는 비명 소리와는 달리 매우 밝고 활기찼다. 물속으로 뛰어드는 게 그렇게도 재밌는 걸까? 아니면 나를 또 속이려는 걸까?

"땅콩, 넌 할 수 있어!"

그 순간, 시몬이 대뜸 소리쳤다.

"물론 할 수 있지. 나는 그냥 하고 싶지 않을 뿐이야."

나는 얼결에 더 깊은 곳으로 발을 옮기며 이렇게 중얼거렸다. 그때 파도가 내 무릎을 철썩 후려쳤다. 곧이어 파도가 한 차례 더 높이 내 몸을 휩쓸고 지나갔다. 나는 놀란 가슴을 진정시키느라 숨을 크게 들이마셨다.

'으으으윽!'

결국 엉덩이가 다 젖고 말았다. 마치 오줌을 싼 것처럼 보일 듯했다.

“파도에 몸을 맡겨 봐. 그러면 파도가 알아서 너를 싣고 다닐 거야.”

아빠가 마지막으로 수영을 가르쳐 줄 때 한 말이었다. 그때는 네 살이었다. 아빠는 내 수영복 끈을 손으로 잡고 있다가 살며시 놓았다. 그러자 내 몸이 고요한 물속으로 차츰차츰 가라앉았다.

나는 물속에서도 숨을 쉴 수 있을 거라고 믿었다. 마법같이 푸르른 바닷속 세상에서 아무 문제 없이 살 수 있을 줄 알았다. 하지만 곧 물속에서 질식 상태에 빠지고 말았다. 다행히 아빠가 재빨리 푸른 바다의 세계에서 나를 건져 주었다. 나는 모래밭에 엎드려 물을 엄청나게 토해 냈다.

그걸 보고 아빠가 소리쳤다.

“나오미! 팔을 쭉 펴고 다리를 걷어차야지!”

그렇게 간단한 거라고? 그러나 실전은 달랐다. 작년 9월에 체육관에서 내 팔과 다리는 완전히 따로 놀았다. 도무지 둘 사이에 협력이라고는 찾아볼 수가 없었다.

“정말 꼴사나워 못 보겠군.”

그걸 보고 모건이 고개를 절레절레 저었다.

그 뒤로 일 년이 지났다. 어쩌면 뭔가가 바뀌었을지도 모른다. 나는 물속으로 뛰어내리기 위해 마음의 준비를 마친 뒤, 물살을 헤치며 부두 쪽으로 걸어갔다.

모건이 부두 위로 기어오르며 내게 소리쳤다.

"나오미, 같이 뛰어내리자."

그러고는 물방울이 뚝뚝 떨어지고 있는 손을 내 쪽으로 내밀었다. 나는 고개를 가로저었다. 더는 모건을 믿고 싶지 않았다. 호숫가에는 공짜 아이스크림이 없었다. 아까 먹은 아이스바도 훔친 게 분명했다. 나는 혼자 힘으로 부두 위로 올라간 뒤 끝까지 걸어갔다.

"내가 잡아 줄게."

그때 물속에서 장난을 치고 있던 시몬이 큰 소리로 말했다. 탄탄한 팔뚝과 그윽한 눈빛, 그리고 특유의 부드러운 미소……. 시몬은 이 세상 모든 여자애들을 사랑에 빠지게 만들었다. 나 같은 땅콩까지도.

나는 여자애들이 물속으로 뛰어드는 모습을 멀거니 지켜보았다. 이제 그만 뛰어내릴까? 그다지 어려워 보이지는 않았다.

바로 그 순간, 발밑에서 미세한 움직임이 느껴졌다. 우르릉거리는 소리가 들리는 것 같기도 했다. 선착장 기둥이 흔들리는 건가? 아니면 하늘에서 천둥이 치는 걸까?

나는 숨을 깊게 들이마셨다. 공기는 여전히 무겁고 뜨거웠다. 모건이 내게 손을 흔들고는 저 멀리로 헤엄쳐 가는 게 보였다.

드디어 물속으로 힘껏 뛰어내렸다. 눈을 꼭 감거나 손으로 코를 잡지는 않았다. 차가운 물속으로 들어가자, 숨을 쉴 때마다 심장이 얼어붙는 듯한 느낌이 들었다. 그때 갑자기 거센 물결이 나를 훅 덮쳤다. 하얀 거품이 마구 솟구쳐 올랐다. 나는 아래로, 아래로, 칠흑 같은 어둠 속으로 가라앉았다. 그러다 바위에 뒤통수를 부딪히곤 그대로 나동그라졌다.

'대체 어느 쪽이 위지? 위로 올라가! 공기를 들이마셔야 해!'

내 안에서 뭔가가 빠르고 세차게 쿵쿵 울렸다. 순간, 희미한 빛이 얼핏 보였다. 나는 그쪽으로 가기 위해 팔과 다리를 부지런히 휘저었다. 하지만 내 팔다리는 여전히 따로 놀고 있었다. 도무지 숨을 쉴 수가 없었다. 가슴 안쪽에서 불줄기가 솟구치는 듯한 느낌이 들었다.

'빨리 나가서 숨을 쉬어야 해.'

급기야 코와 입으로 물이 들어오기 시작했다. 거센 물결이 계속해서 나를 아래로 밀어냈다. 나는 하늘을 향해 손을 뻗으며 필사적으로 공기를 움켜쥐려 애썼다. 하지만 물살이 또 한 번 나를 세차게 내리쳤다.

나는 더 깊이 가라앉았다. 이제는 목구멍에서 불길이 일었다. 도움을 요청하기 위해 입을 크게 벌렸다. 그러자 입안으로 물이 훅 쏟아져 들어왔다.

결국 나는 팔다리를 허우적거리며 물속으로 더 깊이 가라앉았다. 불길이 내 머릿속을 가득 채웠다. 눈앞에서 수백만 개의 하얀 빛이 폭발했다. 죽는다는 게 바로 이런 느낌일까?

"나오미!"

저 멀리 어딘가에서 모건의 목소리가 들려왔다.

모건을 믿었어야 했나 보다.

6월 25일 금요일

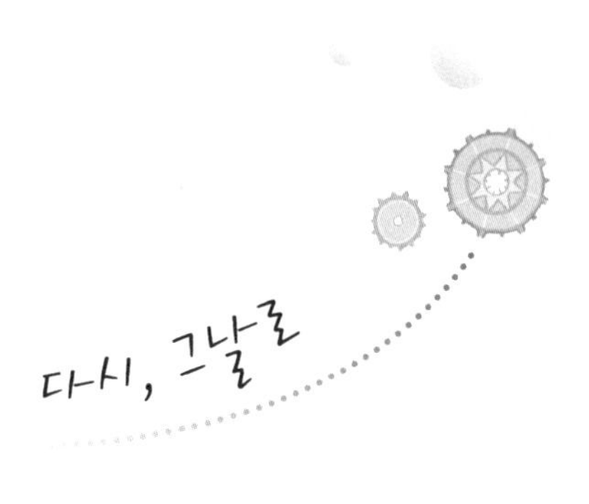

다시, 그날로

누군가 머리 안쪽을 돌로 쿵쿵 치는 듯한 통증을 느끼며 잠에서 깼다. 나는 옆으로 돌아누웠다. 마당에 깔린 딱딱한 돌 위였다. 얼른 일어나 앉아 숨을 내쉬었다. 오븐 속처럼 뜨거운 공기 때문인지 숨이 턱 막혔다.

호수는 어디로 사라졌지? 다들 어디로 간 거야?

모건이 물속에 뛰어든 나를 부두로 끌고 나온 모양이었다. 모래 위에 대자로 뻗어 있는 내 주위로 수많은 사람이 몰려들었을 테지? 모건이 인공호흡을 했을까?

그런데 지금 내 주변에는 아무도 없었다. 심지어 모래 대신 누런 잔디가 펼쳐져 있었다. 놀랍게도 이곳은 우리 집 뒷마당이었다.

"왈! 왈! 왈!"

개 짖는 소리가 매우 선명하게 들려왔다. 마치 내 머릿속에서 쩌렁쩌렁 울리는 것만 같았다. 이내 목덜미에서 뜨거운 공기가 느껴졌다. 개의 숨결에서 묻어나는 특유의 냄새를 맡고는 고개를 휙 돌렸다.

성하지 않은 머리를 너무 빨리 돌린 걸까? 세상에! 디젤이 거기에 있었다. 나도 모르게 미소를 짓고 말았다.

"디젤, 살아 있었어?"

나는 두 눈을 연방 깜박였다. 팔을 세게 꼬집자, 살갗에 손톱자국이 하얗게 생겼다. 꿈이 아니었다. 디젤이 내 앞에서 밀크 초콜릿 같은 주둥이를 벌리고서 숨을 할딱이며 미소를 지었다. 나는 디젤을 얼른 감싸 안았다. 디젤의 침이 내 어깨 위로 뚝뚝 떨어졌다. 윽!

침을 흘리면 스트레스가 풀려! 긴장이 풀리니까.

그 순간, 머릿속으로 코코아처럼 달콤하고 부드러운 목소리가 들려왔다. 아무래도 내 상상력이 최고조에 이른 모양이었다. 디젤은 자기가 마치 코코아 같은 목소리의 주인인 것처럼 몸을 가볍게 흔들었다.

이윽고 커다란 선홍빛 혀로 나를 쓱 핥더니 마당을 지그재그로 뛰기 시작했다. 뜨거운 날씨에도 에너지가 넘쳐흐르고 있었다. 아까와 같은 목소리가 행복에 겨운 듯 크게 울려 퍼졌다.

개가 침을 흘리는 건 사람들이 요가를 하는 거랑 비슷해.

디젤이 꼬리를 흔들며 왈왈 짖었다.

"디젤, 지금 네가 내 머릿속에서 말하는 거야?"

기타 줄을 튕기는 것처럼 온몸의 신경 세포가 바르르 떨렸다. 그러니까 나, 죽은 거야? 온몸이 순식간에 얼어붙었다.

그래, 그런 거였다. 모건이 결국 나를 찾지 못한 거다. 나는 숨을 깊이 들이마셨다. 그러고는 내쉬고 들이마시고를 빠르게 반복했다. 머리가 빙글빙글 돌았다.

내가 죽었다면 숨은 어떻게 쉬는 거지?

걱정하지 마. 죽은 거 아니니까!

입 밖으로 소리 내어 말하지도 않았는데, 누가 내 생각에 대답을 하는 거지? 심장이 쿵쾅쿵쾅 뛰었다. 그러자 코코아 같은 목소리가 나를 달래듯 다정하게 말했다.

여기 좀 봐. 나를 보라고.

디젤이 내 앞에 똑바로 섰다. 그런 다음 앞다리를 구부리며 바닥에 넙죽 엎드렸다. 나랑 놀고 싶을 때마다 수백 번도 더 했던 동작이었다. 나는 욱신거리는 머리를 두 손으로 감싸 쥐었다.

아빠에게 듣기로는, 디젤이 빨간색 스마트 자동차에 치여 죽었다고 했다. 그런데 지금 이렇게 밝은 모습으로 내 앞에 서 있지 않은가. 아빠가 잘못 알고 있는 게 분명했다.

"너, 죽은 거 아니었어?"

널 구하기 위해 돌아왔지.

디젤이 털이 풍성한 꼬리를 살래살래 흔들었다. 나는 디젤의 보드라운 귀를 살살 어루만졌다. 그러자 호흡이 느려지면서 마음이 차분하게 가라앉았다.

넌 언제나 내 말을 알아들었어.

"하지만 이렇게까지 분명하게는 아니었다고."

그때 뒷문이 삐걱 열리면서 엄마가 밖으로 나왔다.

"나오미, 땅바닥에 앉아서 디젤이랑 뭐 하고 있는 거니? 벌써 10시 반이야. 얼른 안 가면 이모가 직장에 늦겠다."

'이제 어떻게 하지?'

여자 대장한텐 아무 말도 하지 마!

마치 내가 말하는 것처럼 머릿속에서 목소리가 또렷하게 울려 퍼졌다. 대체 무슨 일이 벌어지고 있는지 모르겠다. 무슨 일인지 알아낼 때까지는 어쨌든 시간을 좀 벌어야 했다.

"아, 너무 더워서 잠깐 정신을 잃었나 봐요. 머리를 바닥에 살짝 부딪혀서……."

엄마가 깜짝 놀라 내 쪽으로 달려오며 소리쳤다.

"이 무더운 날에 저 정신 사나운 개랑 그렇게 뛰어다니더니! 어휴, 언젠가 사고 칠 줄 알았어!"

엄마가 한 손으로 내 턱을 들어 올리며 다그치듯 물었다.

"어디야? 아픈 데가."

"여기요."

나는 머리 뒤쪽의 얼얼하게 아픈 부위를 손으로 가리켰다. 엄마가 그 부위를 조심스럽게 문질렀다.

"아야!"

"그새 달걀만 한 혹이 생겼네."

'머리에 혹이 생겼다고? 물에 빠져 죽는 상상을 너무 생생하게 했나?'

지난 일은 걱정하지 마. 지금 이 순간을 충실하게 살아.

코코아 같은 목소리가 머릿속에서 말했다.

"얼른 안으로 들어가서 얼음찜질이라도 하자."

엄마가 나를 일으켜 세웠다. 그러고는 뒷문 계단을 올라가는 내내 내 팔꿈치를 잡아 주었다. 디젤이 우리를 쫓아 계단을 뛰어 올라왔다.

내가 식탁 의자에 앉자 디젤이 발치에 얌전히 엎드렸다. 엄마는 혀를 끌끌 차며 냉동실에서 옥수수 한 봉지를 꺼내 혹이 난 부위에 갖다 대었다.

"엄마는 지금 일하러 가야 돼."

엄마가 내 손을 잡아서 옥수수 봉지 위에 올려놓았다. 나는 차갑디 차가운 옥수수 봉지를 손으로 잡은 뒤, 아픈 부위에 대고 꾹 눌렀다. 다행히 통증이 조금 가라앉는 듯했다.

"다들 일하러 가시는 거예요? 건국 기념일인데……."

"그게 무슨 소리야?"

엄마가 수도꼭지를 틀어 유리컵에 물을 받으며 말을 이었다.

"오늘은 6월 25일이야. 건국 기념일은 다음 주에 있고."

"뭐라고요?"

나는 어지러움을 느껴 머리를 두 손으로 움켜잡았다. 엄마가 유리컵을 건넸다.

"자, 이거 마셔!"

엄마는 내가 물 마시는 걸 지켜본 뒤, 눈앞에다 손가락을 들어 보이며 이렇게 물었다.

"이거 몇 개니?"

"다섯 개요."

헉, 오늘이 6월 25일이라고? 디젤 없이 내 인생이 시작된 첫 번째 날……. 그러니까 디젤이 빨간색 스마트 자동차에 치여 죽은 다음 날이었다. 데자뷔일까? 나는 침을 꿀꺽 삼켰다. 모든 게 빙글빙글 도는 듯했다.

아니, 데자베쿠에 더 가까워. 이미 비슷한 일을 겪었으니까.

'이미 비슷한 일을 겪었다고?'

당장이라도 토할 것 같은 느낌이 들었다. 나한테 초능력이라도 생긴 걸까? 그래서 내 죽음을 두 눈으로 본 거라면…….

엄마가 나를 빤히 쳐다보았다.

"아무래도 병원에 가 봐야겠어. 음, 네 아빠가 올 때가 됐는데."

머릿속에서 개 목소리가 들린다고 하면 병원에선 나를 정신병동에 입원시킬지도 몰랐다.

"엄마, 나 거기 꼭 가야 해요?"

"어디? 병원? 가 봐야지. 뇌진탕일 수도 있으니까."

"아니, 이모 집에요. 이모가 루앤을 우리 집으로 데려오면 안 돼요?"

지난번에는 내가 루앤을 돌보러 이모네 집으로 갔으니, 이번에는 이모가 우리 집으로 온다면 뭔가 조금 달라질지도 모른다는 생각이 들었다.

엄마가 눈을 가늘게 뜨고서 나를 빤히 보며 대답했다.

“글쎄, 그게 좋은 방법인지는 모르겠네.”

내가 집에 있으면 디젤도 안전할 것 같았다. 저번처럼 나를 쫓아 나오지는 않을 테니까.

뒤통수에 난 혹의 통증이 무감각해졌다. 꽁꽁 언 옥수수 봉지를 식탁에 내려놓고 디젤의 보드라운 귀를 살살 문질렀다.

“기분이 많이 나아졌어요.”

내 말에 엄마가 입을 오므렸다. 엄마도 지금 나를 루앤과 단둘이 있게 하고 싶지는 않은 것 같았다.

때마침 전화벨이 울렸다. 엄마가 잽싸게 전화기를 집어 들었다. 나는 단박에 이모라는 걸 알아차렸다. 엄마는 이모에게 사정을 설명하고는 내가 얘기한 걸 그대로 전했다.

“교대 시간까지 여유가 좀 있어. 그때까지도 나오미 상태가 안 좋은 것 같으면, 오늘은 형부한테 루앤을 돌봐 달라고 부탁해 볼게.”

형부라면, 우리 아빠를 의미했다. 문득 엄마와 아빠가 지금 어떤 상태인지 궁금했다. 아빠가 엄마한테 초대형 텔레비전을 선물로 주지 않았다면……. 아니, 달걀을 깨 버리지만 않았어도 엄마가 아빠를 집에서 내쫓지는 않았을 것이다.

그때 현관문이 열리는 소리가 들렸다. 디젤의 한쪽 귀가 위로 솟아오르는가 싶더니 꼬리를 바닥에 쿵 내리쳤다.

"나 왔어."

아빠가 휘파람을 불며 안으로 들어왔다. 기분이 좋을 때면 나오는 행동이었다.

"아빠, 보고 싶었어요."

나는 아빠에게 달려가 와락 안겼다. 디젤도 아빠를 향해 껑충 뛰어올랐다. 아빠의 반응을 보면, 우리에게 무슨 일이 생겼는지 알 수 있을 것도 같았다. 아빠가 여전히 우리랑 살고 있다면, 나를 지긋이 바라본 뒤 키득키득 웃으며 이렇게 말할 것이다.

"네가 일찍 일어나면 좀 더 많이 볼 수 있지 않을까?"

하지만 아빠는 나를 꽉 끌어안았다, 아주 필사적으로!

"나오미, 아빠도 많이 보고 싶었어."

이런, 제길! 나는 침을 꿀꺽 삼키고 식탁으로 돌아와 유리컵에 물을 채웠다. 물을 벌컥벌컥 마신 다음 숨을 크게 내쉬었다. 정신을 좀 차려야 했다. 그런데 지금 몇 시지? 나는 손목시계를 확인했다.

시계 안쪽에 김이 보얗게 서려 있었다. 시계는 '7월 1일, 목요일, 4시 30분'을 표시하고 있었다. 그러니까 다음 주 목요일을 가리켰다.

머리가 빙글빙글 돌았다. 뇌의 일부가 손상되어서 이런 일이 생긴 걸까? 나는 눈을 몇 번이나 깜박였다. 주위를 둘러보았지만, 아무도 이 혼란스런 상황을 알아차리지 못하는 듯했다. 오직 디젤만이 알아채고 있었다.

시간 카운터가 멈춘 거야. 우리의 생명 카운터이기도 하지. 내가 너를 구하고 나면 시계가 다시 작동할 거야. 그러니까 걱정하지 마!

하지만 내가 걱정하는 건 시계 따위가 아니었다. 손목시계의 버튼을 눌러 날짜와 시각을 다시 설정하는 동안, 아빠는 디젤의 배를 쓰다듬으며 다정하게 말을 걸었다.

"디젤, 넌 정말 특별한 개야."

디젤이 몸을 뒤집어 아빠의 입술을 핥았다. 디젤이 지금처럼 입술을 핥으면 아빠는 항상 디젤이 우리 말에 대답을 하는 거라고 주장했다. 그러면 엄마는 그냥 간식을 달라는 신호일 뿐이라며 맞섰다. 오늘은 아빠가 "잘했어."라고만 말했다. 엄마도 아무런 대꾸를 하지 않았다.

아빠가 뒷주머니에서 지갑을 꺼냈다.

"생활비에 좀 보태라고."

엄마와 아빠는 떨어져 살고 있는 게 확실했다. 이런, 제길, 제길!

디젤이 내가 앉아 있는 의자로 다가왔다. 내 무릎에 앞발을 올려놓고서 행복한 듯 숨을 할딱였다.

나는 고개를 흔들며 손목시계를 들여다보았다. 뒷마당에서 넘어질 때 시계가 어딘가에 부딪히면서 날짜와 시각이 바뀐 모양이었다. 그런데 왜 시계 안쪽에 김이 서려 있는 거지? 혹시 열기 때문인가?

나는 디젤을 가만히 바라보았다.

'우리의 생명 카운터라니, 그게 무슨 뜻이야?'

디젤이 짧게 끙, 하고 앓는 소리를 내더니 나를 향해 풀쩍 뛰어올랐다. 그 바람에 머리를 식탁에 쿵 들이받았다.

나는 너를 구할 수 있어! 그리고 우리는 모두를 구할 수 있지.

디젤은 끙, 하고 다시 신음을 뱉으며 식탁 아래로 내려갔다.

"엄마, 혹시 어제 동네에서 스마트 자동차 본 적 있어요?"

나는 짐짓 아무렇지도 않은 척하며 물었다. 디젤이 머리로 내 다리를 세게 쿵 박았다. 곧이어 발목 언저리에서 디젤이 으르렁거릴 때 내는 진동이 느껴졌다.

"장난감 자동차처럼 생긴 거? 이 동네에서는 본 적이 없는데."

아빠가 끼어들었다.

"드라이브 스루 매장에서 본 적이 있어. 젊은 여자애가 운전하던데. 스마트 자동차는 아마 매우 경제적인 차일 거야."

그 말에 엄마가 아빠를 냅다 쏘아보았다. 아빠의 고물 자동차는 엄청나게 경제적이지 않아서인 듯했다.

'스마트 자동차가 있긴 있구나. 젠장! 그래, 이게 다 꿈일 수는 없겠지.'

디젤이 머릿속에서 말했다.

우리는 서로를 안전하게 지켜 줄 수 있어.

아빠가 고개를 절레절레 흔들며 지갑에서 지폐 몇 장을 꺼내 엄마에게 건넸다. 나는 그동안 무슨 일이 있었는지 알아내기 위해 또다시 질문을 했다.

“아빠, 혹시 어제 디젤을 동물병원에 데려가셨어요?”

“아니. 벌써 건강 검진 받을 때가 되었나? 나도 아직 못 받았는데.”

“내 말은, 디젤이 사고로 어딘가를 다쳐서 동물병원에 간 적이 있냐고요.”

안 돼, 안 돼, 안 돼!

디젤이 날카롭게 짖었다.

“저것 좀 봐! 네가 자꾸 동물병원 얘기를 하니까 디젤이 화를 내잖아.”

아빠가 디젤 옆에 쪼그려 앉으며 말했다.

“나오미, 만약 동물병원에 갔다면 너한테 제일 먼저 얘기했을 거야. 병원비를 내려면 너한테 돈을 빌려야 했을 테니까.”

아빠가 디젤의 귀 끝을 문지르며 말을 이었다.

“얘는 꼭 영화에 출연해야 해. 그러면 우리한테 큰돈을 안겨 줄지도 몰라.”

그러자 엄마가 돈을 세면서 중얼거렸다.

“개가 무언가를 쫓아가다가 뷔페 식탁 위로 풀쩍 뛰어오르는 장면에 아주 딱이지.”

“그래, 맞아. 개가 나오는 영화에는 다 그런 장면이 있잖아.”

아빠가 맞장구를 쳐 주자, 엄마의 입꼬리가 살짝 위로 올라갔다. 좋은 신호였다. 아빠가 철강 회사에서 해고된 후로 엄마는 아빠가 하는 말에는 절대로 미소를 짓지 않았다.

"그렇다고 해서 디젤한테 굳이 안 좋은 행동을 하도록 훈련할 필요는 없지."

엄마는 이렇게 말하면서도 꿋꿋이 돈을 세었다. 그때 불쑥 일주일 전의 기억이 떠올랐다. 엄마가 아빠한테 소리를 바락바락 질러 대던……. 디젤이 죽고 난 뒤로 내가 하루 종일 울기만 했기 때문이다.

"모두 당신 탓이야!"

엄마가 울부짖으면서 이렇게 소리쳤더랬다. 그런데 오늘은 뭔가 달라 보였다. 좋은 방향으로 달라지고 있는 듯했다. 일단 디젤이 살아 있으니, 엄마랑 아빠가 다툴 일도 줄어든 셈이었다.

"미안해, 이번 주는 돈이 좀 부족해. 두 달 뒤쯤에 더 가져다줄 수 있어."

아빠가 기죽은 목소리로 말하자, 엄마는 대번에 얼굴을 찡그렸다.

"이걸로는 부족해!"

그 순간, 나도 모르게 목소리가 불퉁하게 튀어나왔다.

"돈이 그렇게 중요해요?"

엄마가 나를 빤히 바라보았다.

"아, 그러니까 내 말은, 돈이 세상에서 제일 중요한 건 아니지 않냐는 뜻이에요."

엄마가 아빠를 향해 고개를 세차게 가로젓더니, 나를 보며 한

숨을 푹 내쉬었다.

"집세가 밀렸어. 집주인이 우리가 나가길 바라고 있다고."

나는 숨이 턱 막혔다.

"내 통장에 있는 돈으로 일단 집세를 내는 게 어때요?"

"그건 안 돼!"

엄마가 단호하게 말했다.

"그럼 어디서 살아요?"

엄마가 팔짱을 낀 채 아빠를 노려보았다.

시리얼 아기랑 같이 살고 싶어.

디젤이 속삭였다. 시리얼 아기라면……? 루앤을 가리키는 듯했다. 루앤이 디젤에게 시리얼을 자주 던져 주어서 그렇게 부르는 모양이었다.

나는 잠시 디젤의 말을 곱씹어 보았다. 그러다 짐짓 차분하게 말했다.

"아빠는 어차피 레오 삼촌이랑 살고 있으니까, 엄마하고 내가 이모네 집에 가서 살아도 되지 않아요?"

엄마가 깜짝 놀란 기색으로 물었다.

"루앤이랑 방을 같이 쓰겠다고? 너는 지금도 루앤을 돌보는 데 시간을 많이 쓰고 있잖아."

"나는 지하실에서 지내면 돼요."

엄마는 생각할 시간이 좀 필요한 눈치였다. 반면에, 아빠 입에서는 미소가 번졌다.

"여보, 우리 딸 좀 봐. 이렇게 훌륭한 문제 해결 방법을 생각해 내다니! 정말로 기특하지 않아?"

그러자 엄마가 분노 섞인 목소리로 쏘아붙였다.

"우리 딸에겐 열망이 있거든. 그래서 문제를 해결해 낼 수 있는 거야. 당신, 윌로우 농장에 지원서 넣었어?"

"아니, 아직."

아빠가 고개를 숙이며 우물거렸다.

'윌로우 농장', 이름만 들으면 참 멋진 곳일 듯하다. 닭한테 모이를 주고 젖소한테서 우유를 짜내는 일을 하는 곳일 것만 같은……. 하지만 실제로는 도축 공장이었다. 윌로우 농장으로 가는 큰길에는 돼지를 가득 실은 트럭이 자주 지나다니는데, 돼지들은 하나같이 쇠창살에 코가 짓눌려 있었다.

우리 동네 사람들의 절반은 윌로우 농장에서 일했다. 모건네 아빠는 도축 기계를 다루다 손가락 세 개를 잃은 후, 신입 직원들을 교육하는 일을 맡아 하고 있었다.

나는 아빠가 윌로우 농장에 취직할까 봐 오히려 걱정이 되었지만, 엄마 마음에 들려면 뭐라도 해야만 하는 상황이었다. 지금은 집세도 감당하지 못하는 처지니까. 나는 어떻게든 아빠가 엄마한테 더 이상 밉보이지 않도록 도움을 주고 싶었다.

"아빠, 엄마를 일하는 데까지 태워다 주실 수 있어요? 내가 아까 머리를 다치는 바람에 엄마 시간을 조금 뺏었거든요."

"나오미, 머리 다쳤어? 어쩌다?"

아빠가 내게로 다가와 머리를 들여다보며 걱정스레 물었다.

"뜨거운 햇볕 아래서 저 개랑 너무 오래 놀아서 그렇지, 뭐."

엄마는 아빠 때문에 내가 열사병에 걸린 것마냥 투덜댔다. 아빠가 나한테 디젤을 선물해 줬으니까. 지난주에 디젤이 도로에서 사고를 당했을 때도 엄마는 죄다 아빠 탓인 것처럼 굴었다. 뭐든 언제나 다 아빠 탓이었다.

"뇌진탕 아닌 거 확실해? 아빠가 병원에 데려다줄까?"

뇌진탕인지 아닌지는 확실하지 않았지만, 그냥 어깨를 으쓱해 보였다. 내 머릿속에서는 지금 상황과는 완전히 다른 영화 한 편이 돌아가고 있었다.

아빠가 나를 응급실에 데려가면, 병원에서 나를 과연 퇴원시켜 주기는 할까? 개 목소리가 들린다고 하면 절대로 내보내 줄 리가 없었다. 어쩌면 나한테 약을 처방해서 더는 디젤의 목소리를 듣지 못하게 할지도 몰랐다. 솔직히 말하면, 디젤이랑 대화를 할 수 있어서 참 좋았다.

나는 얼른 화제를 바꿨다.

"이제 괜찮아요. 아빠, 차로 엄마를 태워다 주면 버스비를 절약할 수 있잖아요."

1페니를 절약하면 1페니를 버는 거다. 아빠가 집에 인터넷을 연결하자고 했을 때 엄마가 했던 말이다. 그러니까 버스비 3달러를 절약하면 3달러를 버는 셈이었다.

"기꺼이 모셔다 드리죠."

"우아! 방금 들었어요, 엄마?"

"음, 태워다 주면 고맙지. 덕분에 도넛 타임에 늦지 않게 도착하겠네."

엄마가 애써 평온한 목소리로 말했다.

"그렇지, 도넛 타임보다 앞선 타임에 도착해야지!"

아빠가 엄마를 보며 키득키득 웃었다.

그때 현관문이 열렸다.

"캐시랑 루앤일 거야."

엄마가 현관 쪽을 내다보며 말했다. 그러고는 내 얼굴을 살피며 미간을 찡그렸다.

"엄마, 걱정하지 마세요. 아까보다 훨씬 나아졌어요."

이건 사실이었다. 다만 혼란스러울 뿐이었다.

시리얼 아기다!

디젤이 몹시 반가운 듯, 꼬리를 바닥에 쿵쿵 내리쳤다.

"우리 루앤 왔어? 보고 싶었어."

나는 루앤을 향해 두 팔을 활짝 벌리며 말했다. 그러자 루앤이 낡은 원숭이 인형을 꽉 쥔 채 내 품으로 쏙 들어왔다.

"아이고, 나는 정말 복도 많아. 나오미, 네가 우리 루앤이랑 있어 주어서 얼마나 마음이 놓이는지 몰라. 네가 진심으로 루앤을 아낀다는 걸 알고 있으니까."

이모의 말에 갑자기 심장이 쿵쾅거렸다. 지난번에도 비슷한 말을 들은 것 같아서였다.

나는 애써 심호흡을 했다. 어쩌면 내가 운명을 바꿀 수 있을지도 몰랐다. 물에 빠져 죽은 게 내 운명이라면, 중요한 것부터 하나하나 바꿔 나가면 될 터였다. 일단 디젤이 죽어서는 안 되었다. 내가 그렇게 되도록 내버려 두지 않을 거다.

"안색이 좋지 않은데, 정말 괜찮겠니?"

이모가 물었다. 나는 고개를 끄덕였다.

"루앤이랑 텔레비전 좀 보다가 낮잠을 재울게요. 난 괜찮아요."

아빠가 캐시 이모도 태워다 주겠다고 했다. 이건 좋은 일이었다. 두 사람의 버스비를 절약했으니까 그만큼의 돈을 번 셈이었다. 나는 엄마와 아빠, 이모가 떠나는 모습을 지켜보려고 루앤의 손을 잡고 창가로 다가갔다. 아빠가 차 문을 열자 엄마는 앞좌석에, 이모는 뒷좌석에 올라탔다.

"왈! 왈!"

디젤이 앞발을 창턱에 얹고서 껑충껑충 뛰어오르며 짖었다. 나는 루앤을 옆구리 높이로 들어 올렸다. 그런 다음 디젤이 꼬리를 흔드는 속도에 맞춰 루앤의 손을 천천히 흔들었다.

나는 모든 게 괜찮을 거라는, 아니 좀 더 나아질 거라는 신호가 보이길 바라며 유리창을 톡톡 두드렸다. 엄마와 아빠가 이쪽을 봐 줬으면 했다. 그러면 엄마가 키득키득 웃으며 아빠를 쿡쿡 찌를지도 몰랐다.

바로 그때, 내가 원하던 신호가 보였다. 엄마의 입꼬리가 올라간 것이다. 루앤의 고사리 같은 손과 통통한 팔을 과연 누가 거부할 수 있을까?

엄마는 이를 드러내며 환하게 미소 지었다. 그러고는 아빠에게 고개를 돌린 뒤 우리 쪽을 가리켰다. 나는 유리창 너머로 엄마가 뭐라고 하는지 듣고 싶었다. 아빠가 경적을 빵빵 울리자, 루앤이 신이 나서 소리를 지르며 다리를 버둥거렸다.

"상황이 좋아지고 있는 것 같아. 디젤, 난 알 수 있어. 어쩌면 엄마랑 아빠를 다시 합치게 할 수 있을지도 몰라. 하지만 지금은 할 수 있는 게 없으니까, 지하실로 가서 텔레비전이나 보자."

나는 디젤을 부드럽게 쓰다듬으며 나직이 중얼거렸다.

6월 25일 금요일

이상한 꿈

아빠는 철강 회사에서 받은 퇴직금으로 텔레비전을 샀다. 결혼기념일 아침, 아빠는 한껏 다정한 표정을 지으며 엄마한테 손수 쓴 카드를 내밀었다.

"영화 방을 만들었다고?"

카드를 펼쳐서 읽어 내려가던 엄마가 대뜸 소리를 질렀다. 그때만 해도 나는 엄마가 영화 방을 좋아해서 그러는 줄 알았다. 아빠도 그렇게 생각한 게 분명했다.

"이젠 집에서 영화 데이트를 즐길 수 있어."

한껏 신이 난 얼굴로 엄마를 지하실로 안내했다. 나도 그 뒤를 따라갔다. 그런데 엄마가 갑자기 숨을 훅 들이마셨다. 텔레비전 화면이 어마어마하게 컸다.

엄마가 아빠를 훅 떼밀며 말했다.

"만일을 위해 돈을 저축해 놨어야지. 살다 보면 비가 오는 날도 있을 텐데."

"우리 집에선 언제나 비가 오지."

아빠가 불만이 차오른 얼굴로 투덜댔다.

"그래? 그렇다면 지하실에 영화 방을 만들지 말았어야 할 이유가 하나 더 늘었네."

엄마는 이렇게 쏘아붙이고는 아침을 만들기 위해 계단을 쿵쾅거리며 올라갔다. 아마도 엄마는 분명 이 방에 다시 들렀을 것이다. 그 전까지는 최신 영화를 인터넷으로 내려받아 볼 수 없어서 도서관에서 DVD를 빌려 오곤 했다. 사실 엄마는 아빠가 빌려 온 옛날 영화들을 무척 좋아했다.

하지만 그날은 너무 덥고 끈적끈적했다. 길바닥에서 달걀 프라이를 할 수 있을 정도로. 그리고 아빠는 이 방에서 영화를 한 편도 즐기지 못했다.

지하실로 내려가자 공기가 제법 시원했다. 나는 루앤과 함께 기역자형 소파에 누워 몸을 쭉 폈다. 디젤은 배를 훤히 드러낸 채 카펫에 큰대자로 드러누웠다.

엄마는 초대형 텔레비전 같은 것에 관심 없다고 말했지만, 그래도 이곳을 꽤 멋지게 꾸며 놓았다. 텔레비전 뒤쪽의 시멘트 벽은 중고품 할인 매장에서 산 보라색 커튼으로 가리고, 다른 쪽의 벽들은 죄다 흰색 페인트로 칠했다. 퀴퀴한 냄새만 아니라면 영화관에 있다는 착각이 들 정도로 훌륭했다.

나는 리모컨을 눌러 내가 즐겨 보는 채널을 틀었다. 오늘은 〈슈퍼 독〉을 하는 날이었다. '타이탄'이라는 초콜릿색 개가 장애물 코스를 질주하고 있는 게 보였다.

"디제, 디제!"

루앤이 디젤을 부르며 내 무릎 위에서 방방 뛰었다. 디젤이 곧장 소파 위로 뛰어올랐다. 그러고는 루앤의 얼굴을 살살 핥았다.

"디젤, 저기 좀 봐. 너랑 쌍둥이 같은데?"

내가 말했다. 화면 속 타이탄은 한쪽 귀만 올린 채 주인 옆으로 달려가 앉았다.

그것 때문에 부른 거야? 간식이 아니라?

디젤은 잽싸게 쿠션을 물고 소파 아래로 내려갔다.

"그거 물어뜯으면 안 돼!"

나는 디젤이 물고 있는 쿠션을 홱 잡아당겼다. 그러자 쿠션이 북 찢어지면서 하얀 솜이 빠져나와 허공으로 흩날렸다.

쿠션은 개한테 껌이나 마찬가지라고. 으, 너무 지루해!

디젤이 하품을 하면서 끼잉, 하고 애처로운 소리를 냈다.

마침내 타이탄이 전국 반려견 민첩성 대회의 종합 챔피언이 되었다. 나는 디젤을 힐끗 보며 말했다.

"너도 얼마든지 챔피언이 될 수 있어. 쟤랑 같은 개니까."

나는 이미 챔피언이야. 터널 속을 달리고 장애물을 뛰어넘는 건 다 쓸모없는 짓이라고. 먹이도 없는데…….

디젤은 이렇게 말하며 재채기를 했다. 그 바람에 쿠션의 솜털이 다시 한번 흩날렸다.

주인이 인터뷰를 하기 위해 자리를 옮기자, 타이탄은 오스트레일리아의 야생 들개처럼 걸으며 그 뒤를 졸졸 따라갔다. 디젤도 종종 저런 식으로 걷곤 했다.

아나운서가 주인에게 타이탄의 품종을 물었다. 그러자 주인은 타이탄이 오스트레일리아 목축견이며, 이들은 대체로 영리하고 충성스러워 자기 무리를 돌보거나 지키는 역할을 톡톡히 해낸다고 답했다.

"저것 봐, 디젤. 영리하고 충성스러운 개래."

나도 알아.

아나운서가 마지막으로 물었다.

"가시기 전에 시청자분들에게 중요한 팁을 하나 알려 주셨으면 해서요. 개가 주인의 말을 잘 따르게 하려면 어떻게 해야 할까요?"

"간단해요. 훈련, 또 훈련이죠. 타이탄에게 뭔가 할 일을 주지 않으면 금세 지루해하면서 장난을 쳐요."

우리, 이만 산책하러 나갈까?

"너무 위험해. 나는 너를 안전하게 지켜야 하거든."

나는 일부러 큰 소리로 대답했다.

나는 도로로 뛰어들지 않을 거야. 왜 그래야 하는지 내가 더 잘 알아.

"어쨌든, 안 돼!"

그럼 나 혼자 재밌게 놀지, 뭐.

디젤이 루앤의 원숭이 인형을 꽉 물었다. 그러고는 인형을 마구 흔들며 으르렁거렸다. 그걸 보고 루앤이 소리 내어 웃었다.

나는 디젤한테서 인형을 빼앗아 겨드랑이에 끼우고서 리모컨으로 채널을 돌렸다. 그렇게 한참 채널을 넘기다가 한곳에서 뚝 멈췄다.

환자 감시 장치 모니터에 표시된 초록색 그래프가 심장 박동에 맞춰 솟아오르는 게 보였다. 심장 박동이 점점 강해지다가 갑자기 뚝 멈추면서 초록색 선이 일자를 그렸다. 곧이어 날카롭게 경고음이 울렸다.

"사잔 앤드류스는 심장 마비로 오 분 동안 죽어 있었습니다."

외과 의사가 환자의 가슴에 전기 충격을 주었다. 그러자 심장이 다시 뛰기 시작했다.

"죽음 직전에 그가 어떤 경험을 했는지 한번 들어 보시죠."

나는 물에 빠졌던 기억이 너무나 생생해서, 마치 죽음 직전의 경험을 한 것만 같았다. 어쩌면 디젤과 나는 이미 죽었는데, 살아 있는 꿈을 꾸고 있는지도 몰랐다. 그런 생각을 하자, 소름이 등줄기를 찌르르 훑어 내렸다.

우리는 안 죽었어.

'네가 어떻게 알아? 너는 개잖아.'

개도 많은 걸 알아. 그리고 너는 지금 꿈을 꾸는 게 아니야.

'그러면 내가 익사한 건? 그 손목시계는?'

필요한 순간이 되면 내가 너를 구할 거야.

'흐음, 어쨌든 지금은 내가 너를 구하는 일에 집중할게.'

나는 다시 텔레비전 화면으로 고개를 돌렸다. 거기서 필요한 답을 얻기를 바라면서.

사잔 앤드류스가 말했다.

"순간, 휘익 하는 소리가 들렸어요. 곧이어 어떤 힘이 나를 눈이 부실 정도로 하얀 빛줄기가 쏟아지는 곳으로 잡아끌었어요. 마치 빛으로 이루어진 터널 같았죠. 빛의 터널에는 바닥도, 천장도 없었어요. 하지만 바깥쪽 가장자리가 눈부시게 빛나고 있었지요. 마음이 아주 편안했어요."

물속에서 점점 숨이 막혀 갈 때, 내겐 그 어떤 빛의 터널도 보이지 않았다. 그러니까 나는 죽었을 리가 없다. 그렇지 않나?

어느덧 점심때가 된 모양이었다. 배에서 꼬르륵 소리가 났다. 디젤 말이 맞았다. 나는 살아 있는 게 분명했다. 죽은 사람은 배가 고프지 않을 테니까.

손목시계를 내려다보니, 안쪽에 서려 있던 김이 사라지고 없었다. 그런데 여전히 '7월 1일, 목요일, 4시 30분'이라고 표시되어 있었다.

'시계가 다시 작동할 거라며?'

나는 머릿속으로 디젤에게 물었다.

그럴 거야, 우리가 안전해지면…….

'우리, 지금 안전하잖아. 그렇지 않아?'

나는 시계 옆에 있는 버튼을 눌러 날짜를 6월 25일로 되돌렸다. 손가락이 마구 떨렸다. 텔레비전 화면에 뜬 시각은 12시 30분이었다. 시각도 다시 맞추었다. 배에서 또다시 꼬르륵 소리가 났다.

"자, 점심시간이다!"

디젤이 먼저 계단으로 뛰어 올라갔다. 나도 루앤을 품에 안고 디젤을 따라갔다. 루앤을 아기용 식탁 의자에 내려놓은 뒤, 부엌 찬장에서 식빵 넉 장을 꺼내 토스터에 넣었다. 배가 너무 고파서 그런지 어지럽기까지 했다.

숨을 천천히 내쉬어!

디젤이 말했다. 나는 숨을 길게 들이마셨다가 천천히 내쉬었다.

토스트!

토스터에서 식빵이 톡 튀어나오자 디젤이 왈! 하고 짖었다.

나는 식빵에 땅콩버터를 바른 다음, 샌드위치처럼 두 장을 포개 한쪽 모서리를 우걱우걱 씹어 먹었다. 그러다 디젤에게 땅콩버터가 발려 있지 않은 쪽을 떼어 주었다. 디젤이 잽싸게 받아먹었다.

호흡이 조금씩 느려지고 있었다. 빵을 씹는 속도도 느려졌다. 나는 숨을 한 번 더 크게 들이마셨다가 길게 내쉬었다. 그러고는 나머지 샌드위치를 삼각형 모양으로 자른 뒤 접시에 요트 모양으로 늘어놓았다.

순간, 해밀턴 호숫가가 떠올랐다. 심장이 갈비뼈에 쿵쿵 부딪히기 시작했다. 그날 호수에는 요트가 한 척도 없었다.

'그만, 상상은 이제 그만.'

나 자신에게 소리쳤다. 하지만 그날의 장면들이 계속해서 떠올랐다. 그날 벌어진 일들이 너무나 현실적으로 느껴졌다.

쓸데없는 생각 그만하고, 내 머리나 쓰다듬어 줘!

디젤을 쓰다듬어 줄 때 기분이 좋아지는 건 나일까, 아니면 디젤일까? 나는 먹는 걸 그만두고 디젤의 따뜻한 털을 쓰다듬었다.

둘 다지. 아, 그러니까 더 좋다.

샌드위치가 담긴 접시를 루앤에게 건네주는데, 손이 바들바들 떨렸다. 빨대 컵에 우유를 담아 루앤에게 건넸다. 그러다 나도 모르게 멈칫했다. 그날은 우유를 젖병에 담아 주었다.

그만! 나오미, 나를 믿어. 내가 너를 믿는 것처럼.

디젤이 내 눈을 올려다보며 속삭였다. 나는 침을 꿀꺽 삼키며 디젤의 목을 쓰다듬었다. 그러면서 천천히 갈비뼈 아래쪽으로 내려갔다.

'하지만 그날 너는 나를 믿지 말았어야 했어. 그때 내가 너를 집에 두고 나가는 바람에…….'

나오미, 사랑과 신뢰는 변하지 않는 법이야.

디젤의 갈비뼈 안쪽에서 쿵쾅쿵쾅 심장이 뛰는 게 느껴졌다. 내 머릿속에 일어난 소용돌이가 점점 느려지다가 어느 순간 뚝 멈췄다. 머릿속에서 들려오는 디젤의 목소리가 나를 편안하게 해 주었다.

나는 너를 도와주려고 머릿속에서 이렇게 이야기를 하는 거야.

어느새 루앤의 눈꺼풀이 아래로 스멀스멀 떨어지고 있었다.

"루앤, 이제 낮잠 자야겠다."

"싫어!"

내 말에 루앤이 고개를 번쩍 들었다가 다시 스르르 고개를 아래로 떨궜다. 나는 루앤을 아기용 식탁 의자에서 빼낸 뒤, 품에 안고서 위층에 있는 내 방으로 올라갔다. 디젤이 나를 옆으로 밀치며 먼저 올라가 방 안을 이리저리 둘러보았다.

이상 없어.

디젤이 바닥에 엎드리며 말했다. 나는 루앤을 내 침대에 뉘었다. 그런데 루앤의 몸이 침대에 닿자마자 눈을 말똥말똥 떴다.

"싫어, 낮잠 안 자."

루앤은 작은 주먹으로 내 가슴을 쿵쿵 치며 징징댔다.

"어, 때리는 거 안 돼. 유모차에 얌전히 앉아 있겠다고 약속하면 뒷마당에서 몇 바퀴 돌아 줄게."

"산책!"

루앤이 종알거렸다.

산책!

디젤도 동의했다. 이 불볕더위에 다시 밖으로 나가야 하다니! 내가 왜 그런 제안을 했는지 금방 후회가 밀려왔다. 하지만 디젤과 루앤은 나를 빤히 쳐다보며 산책 나갈 생각만 하고 있었다.

"알았어, 나가자."

나는 루앤을 유모차에 태운 뒤 뒷마당으로 나갔다. 땅이 바짝 말라 있어서 유모차를 밀기가 한결 쉬웠다. 울타리를 따라 한 바퀴 돌자 루앤이 꾸벅꾸벅 졸기 시작했다. 두 바퀴째 돌 때는 고개를 숙이고 있었고, 세 바퀴째 돌 때는 완전히 곯아떨어져 있었다.

손님이다, 손님!

갑자기 디젤이 왈왈 짖었다. 그 소리를 듣고 루앤이 고개를 번쩍 들더니, 두 눈을 크게 뜨고 주위를 두리번거렸다.

비엔나소시지 소녀가 왔어!

"너, 혹시 햄스터니? 대체 마당을 몇 바퀴나 도는 거야?"

모건이 우리 집 대문을 벌컥 열고 안으로 들어왔다.

'모건이 비엔나소시지 소녀라고?'

나는 디젤에게 이렇게 물은 뒤, 모건에게 대꾸했다.

"네가 루앤을 깨우지 않았다면 지금쯤 끝났을걸? 정말 고마워."

"너한테 휴대폰이 있었다면 내가 전화를 했겠지."

모건이 맞받아쳤다.

그때 루앤이 유모차 안에서 엉덩이를 들썩이며 두 팔을 벌렸다. 나는 허리를 숙여 안전띠를 풀었다. 모건이 이런 식으로 불쑥 들이닥친 게 영 마뜩지 않았다.

"여긴 왜 온 거야?"

"너희 이모 집에 갔더니, 네가 없더라고."

모건이 입을 한껏 벌려 크고 하얀 이를 전부 드러냈다. 모건 특유의 미소였다. 그 미소는 무언가 비밀스러운 농담을 하는 것처럼 보이게 했다.

"그래서 오늘은 네가 저 꼬맹이를 돌보지 않나 보다, 생각했지. 그런데 내 짐작이 틀렸네?"

"몸이 좀 아파서 집에 있었어."

모건이 고개를 한쪽으로 기울이고는 눈을 가늘게 뜨며 물었다.

"그럼 침대에 누워 있어야 하지 않아? 무슨 병인지는 모르겠지만 애한테 옮길 수도 있고."

"열사병은 전염 안 돼."

"열은 없어 보이는데. 밖에 있어도 되는 거야?"

모건이 내 이마를 짚으려고 손을 뻗었다. 나는 얼른 몸을 뒤로 뺐다.

"이제 들어갈 거야."

"아냐, 들어가지 마. 너한테 할 말 있어."

"뭔데?"

나도 모르게 목소리가 날카로워졌다.

"그렇게 까칠하게 굴지 말고, 나랑 공원에 좀 가자."

공원, 공원, 공원, 공원!

"디젤, 쉬잇! 난 안 돼. 여기 있어야 해."

어, 그런데 방금 디젤이 머리 밖에서 짖었나?

"아파서 그렇다고는 하지 마. 너, 지금 멀쩡하잖아."

"루앤이랑 디젤을 돌봐야 해."

"둘 다 데려가면 되지. 수영장 문을 아직 안 열어서 남자애들이 지금 프리스비(플라스틱 원반을 서로 던지거나 받는 놀이)를 하고 있단 말이야."

모건은 이를 다시 드러내며 활짝 웃었다.

"안 돼, 디젤이 차에 치일 수도 있고."

나의 단호한 대답에 모건이 한쪽 눈썹을 치켜올렸다.

"그럴 일 없을 거야. 얘가 얼마나 영리한데."

나는 모건의 말에 고개를 가로저었다.

비엔나소시지 소녀의 말대로 해. 저래 봬도 꽤 똑똑한 인간이니까.

'아니, 그렇지 않아. 쟤, 수행 평가 과제는 맨날 내가 다 도와줬거든. 그리고 우리는 그냥 집에 있을 거야.'

나는 절대 차 앞으로 뛰어들지 않을 거야. 너를 구하려면 내가 살아 있어야 하니까.

모건이 두 손을 허리에 얹으며 말했다.

"자, 이제 핑계 그만 대고 나랑 같이 가자. 안 그러면 시몬이 수영장에 들어가 버릴지도 몰라."

이번에는 호수가 아니라 수영장이라고? 익사가 다른 방식으로 일어나는 건가? 심지어 좀 더 일찍?

"시몬이라고?"

그렇게 묻지 말았어야 했다. 모건이 신이 나서 연방 고개를 끄덕였다.

지난번에는 디젤 일로 슬픔에 빠져 있는 바람에 모건을 일부러 피해 다녔다. 그러니까 호수에서 사고가 일어나기 일주일 전부터 피해 다닌 셈이었다.

이번에는 뭔가 좀 다르게 가야 할 듯했다. 나는 모건과 비밀을 공유하는 친구가 되고 싶었다. 게다가 이번에는 디젤도 함께니까.

그런데 갑자기 한기가 들면서 이가 따닥따닥 부딪쳤다. 나는 루앤을 바싹 끌어당겼다.

모건이 눈을 가늘게 뜨며 물었다.

"너, 괜찮아? 여기, 소름 돋은 것 좀 봐. 정말 아픈 거 아냐?"

"아, 아니야……. 있잖아, 거기 가더라도 나는 수영은 할 수 없어. 이상한 꿈을 꿨거든."

이게 모건에게 설명할 수 있는 가장 쉬운 방법이었다.

"자기 전에 쿠키 먹지 마. 초콜릿 칩 쿠키를 먹고 자면 항상 악몽을 꾸더라고."

"그런 게 아냐. 아마 넌 이해 못 할 거야. 디젤은 차에 치여 죽고, 나는 물에 빠져 죽어. 그런데 그게 다 실제로 일어났던 일인 것처럼 아주 생생하게 느껴진다니까."

"그래서 뭐? 네가 예지몽이라도 꾼다는 거야? 그러니까 너한테 미래를 보는 능력이 있다고?"

막상 이렇게 말하니까 완전 바보 같은 소리처럼 들렸다. 하지만 물에 빠져 죽었다가 머리에 혹을 달고 다시 살아나, 개와 머릿속으로 대화할 수 있다는 이야기보다는 예지몽을 꾼다는 쪽이 좀 더 합리적으로 들릴 것 같았다.

"게다가 나는 루앤을 돌보면서 디젤까지 챙길 수 없어."

그러자 모건이 나를 비웃듯이 말했다.

"디젤은 신경 안 써도 돼. 내가 산책시킬 테니까. 옛날에 킹도 내가 훈련했는걸."

"킹? 개를 키웠어?"

"응, 전에 말했잖아. 장기에 문제가 생겼는데, 수술할 돈이 없어서……."

우리 둘 다 부모님도 헤어지고 키우던 개도 죽었구나.

"전에 모둠별 과제 발표했던 거 기억나? 그때 킹이 죽었거든. 넌 무지무지 화가 나서 내 말을 듣지도 않았지만."

그때 모건이 나한테 했던 말이 이제야 기억났다.

"모건, 미안해. 난 몰랐어."

"괜찮아, 신경 쓰지 마."

모건이 손가락을 튕기며 말했다.

"이거나 잘 봐. 디젤, 앉아!"

그러고는 검지를 들어 올렸다. 마치 모건이 손에 무언가를 쥐고 있는 것처럼, 디젤이 뚫어져라 바라보며 바닥에 얌전히 앉았다.

"잘했어."

모건이 손을 펴서 디젤에게 손바닥을 보여 주었다.

피자 냄새다! 그런데 피자는 어디 있지?

디젤이 모건의 손을 허겁지겁 핥았다. 손에 모차렐라 치즈라도 덮여 있는 것마냥. 디젤은 바삭한 토스트 가장자리와 고기 다음으로 모차렐라 치즈를 좋아했다.

내가 물었다.

"그래서 할 말이 뭔데?"

모건은 환하게 미소를 지으며 이렇게 답했다.

"공원에 가면 알려 줄게. 디젤 목줄 좀 갖다 줄래?"

나는 집 안으로 얼른 뛰어 들어갔다. 디젤도 뒤를 따라왔다. 나는 긴 목줄을 꺼낸 뒤 디젤의 목에다 걸었다. 내가 목줄을 손에 쥐자, 디젤이 나를 밖으로 끌고 갔다.

모건이 목줄을 향해 손을 내밀었다.

"이리 줘."

"디젤은 버스만 보면 쫓아가. 그래서 꽉 잡고 있어야 해."

"걱정하지 마. 내가 통제할 수 있어. 네 뒤엔 언제나 내가 있다니까."

윽, 또 저 소리! 모건은 나보다 머리 두 개만큼은 더 컸다. 뭐, 대부분의 아이들이 그만큼 크긴 했다. 그래서 모건이 저렇게 당당한 걸까?

우리는 현관문을 잠그고 공원으로 향했다. 루앤이 나뭇가지에 앉아 있는 새를 가리키며 재잘거렸다.

"저건 박새야."

나는 모건에게 할 말이 무엇인지 알려 달라고 사정하고 싶지 않았다. 모건이 못 참고 먼저 할 말을 쏟아 내길 기다렸다.

마침내 모건이 입을 열었다.

"너도 시몬 좋아하지?"

"무슨 소리야? 그래, 뭐. 시몬이 좀 멋지긴 하지. 그래도 공원에 가면 나는 다른 여자애들이랑 놀 거야."

우리는 곧장 길을 건넜다. 나는 디젤이 걱정되어서 조바심이 났다.

"도로를 건널 땐 목줄을 더 꽉 잡아 줘. 너, 지금 디젤을 너무 대충 보고 있잖아."

모건이 디젤의 목줄을 잡아당기며 물었다.

"너는 고등학교 남자애랑은 어울리기 싫어?"

"싫은 건 아니고 좀 무서워. 어차피 고등학생도 중학생이랑 어울리고 싶어 하지 않을걸."

"우리도 곧 고등학생이 될 텐데?"

"시몬이 나를 알기나 알까?"

"당연히 알지. 널 좋아하고 있을걸."

나도 모르게 미소가 지어졌다. 하지만 모건이 나를 놀리고 있는 게 틀림없었다. 나는 일부러 모건의 말을 무시하는 척하며 루앤에게 말을 걸었다.

"저건 해바라기야. 예쁘지?"

우리는 길을 따라 계속 걸어갔다. 그때 버스 한 대가 굉음을 내며 모퉁이를 휙 돌았다.

"왈! 왈!"

고약한 냄새! 조심해! 거대한 소음 발생기가 다가온다!

디젤의 등에 난 털이 바짝 곤두섰다.

'디젤, 그냥 내버려 둬!'

나는 이렇게 말한 뒤, 모건을 멈춰 세우고는 목줄을 같이 붙잡았다.

"나오미, 왜 그래? 디젤한테는 내가 신경 쓴다니까."

모건이 내게서 목줄을 확 당기며 말했다.

솔직히 말하면, 나는 모건을 믿지 못했다. 수업 시간에 수행평가 과제 발표를 엉망으로 만들어서 그런 게 아니었다. 걸핏하면 나를 웃음거리로 만들어서 그런 것도 아니었다.

"디젤은 버스만 보면 쫓아가. 혹시라도 사고가 날까 봐 걱정이 돼서 그래."

사실 나는 아무도 믿지 않았다. 특히 내 대학 등록금이나 엄마와 아빠의 재결합, 그리고 디젤의 목숨같이 중요한 문제는 더욱 더 그랬다. 그중에서도 제일 중요한 건 디젤이었다. 디젤을 잃었을 때의 기억이 아직도 너무나 생생했다.

"얌전히 걸어."

모건이 디젤에게 명령했다.

나는 스스로를 잘 통제할 수 있어. 걱정하지 마.

다행히도 디젤은 모건의 발뒤꿈치 옆에서 가벼운 발걸음으로 졸래졸래 쫓아왔다. 결국 나는 궁금증을 이기지 못해 질문을 하고 말았다.

"시몬이 나를 좋아하는지 네가 어떻게 알아?"

"시몬이 나한테 말했거든. 중학생 때만 해도 너를 불덩어리라고 생각했다나?"

모건이 거짓말을 하는 게 분명했다. 시몬은 내 존재조차 모를 텐데……? 시몬이랑 언제 대화를 나누었다는 걸까?

"혹시 땅콩 아니야?"

"에이, 그건 내가 붙여 준 별명이고. 아, 까먹었어. 아무튼 시몬은 지금 너를 좋아해."

이런 거야말로 친한 친구들끼리나 주고받는 대화 주제였다. 좋아하는 사람에 관해 이야기하고, 그 사람도 자신을 좋아하는지 추측해 보는 것. 하지만 나는 맹세코 모건과 그런 사이가 아니었다.

"시몬은 자기가 좋아하는 애랑 얼마든지 사귈 수 있잖아."

"나오미, 한번 상상해 봐. 우리 둘 다 고등학교에 갔을 때 남자친구가 있으면 얼마나 재미있겠니?"

나는 이 끔찍한 여름을 머릿속에서 잠시 지우고 모건과 나란히 등교하는 모습을 상상했다. 학교 운동장에 들어서는 순간, 친구들이 나와 모건에게 앞다투어 인사를 건넨다. 모두가 나를 알고 있다. 나는 더 이상 범생이도, 땅콩도 아니다. 외톨이는 더더욱 아니다.

몽상에 빠진 나머지, 드르릉거리는 엔진 소리가 점점 가까이 다가오고 있다는 걸 눈치채지 못했다.

위험해! 바퀴가 두 개 달린 뭔가가 시끄러운 소리를 내면서 이쪽으로 오고 있어!

나는 모건에게 냅다 소리를 질렀다.

"목줄 꽉 잡아!"

하지만 너무 늦었다. 디젤이 오토바이를 향해 돌진하고 있었다.

공격! 공격! 바퀴 두 개가 우리를 위협하려 해!

"디젤, 안 돼!"

나는 유모차를 잡고 있어서 디젤에게 뛰어갈 수가 없었다. 팔다리가 한없이 무겁게 느껴졌다. 마치 물속에 잠겨 있는 것 같았다. 시간이 몹시 느리게 흘러갔다.

"멈춰!"

모건이 디젤에게 달려가 목줄을 홱 잡아챘다. 하지만 곧바로 그 자리에 얼어붙고 말았다. 오토바이가 드르릉거리며 모건과 디젤이 있는 쪽으로 돌진하기 시작했다. 금방이라도 둘을 칠 것만 같았다.

그 순간, 내 눈앞에 질주하는 스마트 자동차와 공중으로 몸이 높게 치솟은 디젤이 보였다. 디젤은 이제 오토바이에 치여 죽는 걸까? 모건이랑 같이?

오토바이는 모건과 디젤 옆을 아슬아슬하게 지나 어느 집의 진입로로 들어섰다. 그런 다음 인도로 다시 내려와 몇 미터를 더 달리다가 우뚝 멈춰 섰다. 이윽고 오토바이를 운전하던 남자가 시동을 껐다.

저리 떨어져! 가까이 오면 콱 물어 버릴 거야!

디젤이 오토바이를 향해 달리기 시작했다. 모건이 디젤의 목줄을 잡아당기며 소리쳤다.

"미안해요, 삼촌. 내가 더 꽉 잡고 있어야 했는데. 얘가 오토바이를 이렇게 좋아하는 줄 몰랐네. 아, 숙모, 안녕하세요?"

모건은 몸을 숙여 디젤을 한쪽 팔로 감싸고는 귀에 대고 뭐라고 속삭였다. 그러자 디젤이 금세 얌전해졌다.

오, 피자 소녀의 무리였군. 그렇다면 당신들도 기꺼이 우리 무리로 받아들이도록 하지.

디젤이 오토바이에 앉아 있는 두 사람을 바라보며 꼬리를 흔들었다.

'피자 소녀라고? 비엔나소시지 소녀 아니었어?'

오늘은 냄새가 좀 달라. 피자를 먹은 게 분명해.

그러는 사이에 루앤이 보채기 시작했다. 나는 루앤을 유모차에서 들어 올려 품에 안았다.

"모건, 안녕?"

모건의 숙모가 오토바이 뒷자석에서 내리며 인사를 건넸다. 헬멧을 벗자 긴 금발 머리가 쏟아져 내렸다. 뒤이어 삼촌이 발로 받침대를 고정하고서 오토바이에서 내렸다. 숙모보다 키가 훌쩍 커서 수염이 제법 긴데도 숙모의 머리에 닿지 않았다.

"혹시라도 개가 튀어나올까 봐 주변을 잘 살피는 편인데……. 얘는 훈련이 좀 필요해 보이네."

삼촌이 검지를 흔들며 말하자, 모건이 나를 가리키며 대꾸했다.

"얘네 개예요."

나는 모건을 쏘아보았다. 디젤을 더 꽉 잡고 있었어야지, 하는 눈빛으로.

나는 디젤을 내려다보며 애꿎게 꾸짖었다.

"대체 왜 그러는 거니? 쫓아가면 안 된다는 거, 너도 알잖아!"

나는 쫓아간 게 아니야. 공격한 거지. 너를 보호하려 한 거라고.

디젤이 자랑스러운 듯 미소를 지었다. 나는 당장이라도 디젤과 루앤을 데리고 집에 가고 싶었다.

모건의 숙모가 거들었다.

"조심해야 해. 언제 사고를 당할지 몰라."

모건이 나를 보며 자신만만하게 말했다.

"괜찮아. 내가 잘 다루면 돼."

하지만 나는 불안한 마음을 지울 수가 없었다.

새로운 게임

나는 루앤을 유모차에 태우고서 다시 걸음을 옮겼다. 자동차나 트럭이 지나갈 때마다 배가 아파 와서 모건과 대화를 나누기조차 어려웠다. 이윽고 도롯가를 벗어나 공원으로 접어들었다. 안도의 한숨이 절로 나왔다. 적어도 여기서는 오토바이나 버스를 걱정할 필요가 없으니까.

커다란 단풍나무가 햇빛을 가려 주어서 서늘한 기운이 감돌았다. 나는 숨을 깊게 들이마셨다. 배 속이 조금 가라앉는 것 같았다. 운동장과 체육관은 축구장 너머 저쪽 끝에 있었다. 체육관 앞에는 수영 가방을 든 아이들의 줄이 제법 길게 이어져 있었다. 아직도 수영장 문을 열지 않은 모양이었다.

나는 조금 전에 만났던 모건의 삼촌 부부를 떠올리며 이렇게 물었다.

"너희 삼촌이랑 숙모는 사이가 좋니?"

"우리 엄마 아빠에 비하면 아주 좋은 편이지. 삼촌은 숙모를 무척 좋아하거든. 아담한 키에 매력을 느낀다나, 어쩐다나?"

"우아."

"삼촌은 숙모랑 있으면 자기가 강한 사람인 것처럼 느껴지나 봐. 숙모를 엄청 보호하려 들어."

"내가 너희 숙모보다 키가 큰 것 같던데, 그치?"

"응, 조금."

커다란 분수대에서 물을 연방 공중으로 쏘아 올리고 있었다. 산들바람이 불자 물방울이 우리 쪽으로 날아왔다. 그걸 보고 루앤이 신이 나서 까르르 웃었다. 그 모습에 나도 모르게 웃음이 비어져 나왔다.

모건에게 또 물었다.

"너희 부모님도 한때는 서로 사랑하셨을 거 아냐? 너희 엄마가 너희 아빠한테 반해 있던 순간이 있었을 텐데……. 상상이 돼?"

"우웩, 별로 상상하고 싶지 않은데?"

"우리 엄마랑 아빠는 처음에 서로에게 반했을 거야. 분명해."

"엄마랑 아빠가 그 전에 서로 사랑했든 안 했든 난 전혀 상관없어. 어쨌든 지금은 서로에게서 좋은 점을 보지 못하고 계시니까. 다 끝났어. 우리 엄마랑 아빠는 다시는 함께하지 못할 거야."

"네가 어떻게 알아?"

"언니랑 같이 할 수 있는 건 다 해 봤거든. 한번은 엄마, 아빠 베개 옆에 초콜릿이랑 사랑의 글이 담긴 편지를 놔두기도 했어. 내가 편지를 썼는데, 제법 괜찮았어."

모건이 나를 보며 윙크했다.

"하지만 그건 거짓이잖아."

"또 한번은 언니랑 내가 남동생을 데리고 할머니 집에 가 있었어. 둘만의 밤을 보내라고 말이야."

"그거, 좋은 아이디어인데? 나도 집은 기꺼이 비워 줄 수 있을 것 같아."

내 말에 모건이 고개를 절레절레 흔들었다.

"그런데 언제나 싸움으로 끝이 났어."

"헐! 하지만 우리 엄마, 아빠는 다를 수도 있어."

"네가 그렇게 믿고 싶은 건 아니고?"

저 멀리 축구장에서 남자아이들이 프리스비를 하고 있는 게 보였다. 나는 시몬을 흘금 보았다. 티셔츠를 허리에 질끈 묶고 있었다. 모건은 시몬이 나를 좋아한다고 말했다. 어쩌면 정말로 키는 그다지 중요하지 않을지도 몰랐다. 허리를 곧게 펴자 키가 약간 커진 듯한 느낌이 들었다.

그때 빨간 머리 톰이 시몬에게 원반을 던졌다.

조심해! 납작한 비행 물체가 우리 쪽으로 날아오고 있어!

디젤이 마구 짖기 시작했다.

그 순간, 시몬이 뒷걸음질치며 한쪽 팔을 높이 들었다. 긴 호를 그리며 떨어지는 노란색 원반을 잡아채고는 잠시 멈춰 서서 숨을 골랐다. 그러다 시몬이 우리를 발견하곤 이렇게 소리쳤다.

“안녕, 모건! 안녕, 땅콩! 잘 지냈어?”

입이 바싹 말랐다. 키가 다시 줄어든 기분이었다.

“응, 잘 지냈어.”

모건이 미소를 한껏 지으며 손을 크게 흔들었다. 그때 디젤이 목줄을 잡아당겨 모건을 시몬 쪽으로 끌고 갔다. 나도 유모차를 밀며 허겁지겁 뒤쫓아갔다.

시몬에게 가까이 다가갈수록 고개를 들 수가 없었다. 시몬과 얼굴을 마주할 용기가 나지 않았다. 그래서 시몬의 맨 가슴만 쳐다보았다.

이 남자애, 맘에 쏙 드는데? 우리 무리에 끼워 줄까?

디젤이 꼬리로 내 다리를 찰싹찰싹 쳤다.

‘아니.’

모건이 팔꿈치로 나를 쿡 찌르더니, 눈썹을 추켜올리며 고갯짓을 했다. 무슨 말이든 하라는 뜻이었다. 나는 어렵사리 고개를 들어 올렸다.

“잘 지냈어?”

“그럼.”

시몬이 디젤에게 말을 걸기 위해 쪼그려 앉으며 내게 물었다.

“이 개, 이름이 뭐야?”

"디젤."

시몬이 디젤을 쓰다듬더니, 이번에는 루앤을 보며 물었다.

"안녕, 귀염둥이. 너는 이름이 뭐니?"

"얘는 내 사촌 동생 루앤이야."

우아, 무려 다섯 마디나 했다.

"안녕, 루앤. 공원에 놀러 온 거야?"

시몬이 미소를 함빡 지으며 말했다. 눈가에 잡힌 주름이 정말로 사랑스러웠다.

나를 쓰다듬어 줘. 나를 쓰다듬어 줘!

디젤이 꼬리를 마구 흔들며 시몬의 관심을 끌려고 애썼다.

"디젤, 원반 좋아해?"

시몬이 디젤의 눈앞에서 노란색 원반을 흔들어 보였다.

당연하지. 이빨로 콱 물어 버릴 거야!

"으음, 얘는 뭐든 물거나 잡는 거 좋아해."

디젤과 함께 있으면 좋은 점은 누군가가 디젤에게 말을 걸었을 때, 내가 대신 대답해 줄 수 있다는 거다.

'디젤, 고마워!'

나 역시 너를 위해 노란 쟁반을 물 수 있어서 행복해.

"그런데 가져오는 건 못 해."

개를 키우면 대화를 자연스럽게 이끌어 갈 수 있는 장점이 있다. 모든 여자애들이 좋아하는 멋진 남자애랑도 말이다.

시몬이 디젤을 향해 물었다.

"한번 해 볼래?"

그래그래, 얼른 던져 봐.

"너는 어때, 땅콩?"

"음, 안 돼. 나는 루앤을 봐야 해서."

그러자 모건이 내게 윙크를 하며 끼어들었다.

"가 봐. 루앤은 내가 볼게."

모건은 내가 얼마나 몸치인지 잘 알고 있었다. 그러면서 왜 윙크를 하는 거지? 치, 시몬 앞에서 망신당하길 바라는 걸까?

"나는 좀 그래. 하지만 디젤은 잘할 수 있을 거야."

시몬이 손을 뒤로 젖힌 뒤 원반을 멀리 날려 보냈다. 나는 재빨리 디젤의 목줄을 풀었다. 디젤이 노란색 원반을 쫓아 달려갔다. 곧이어 공중으로 풀쩍 뛰어올라 몸을 쭉 펴더니, 입으로 원반 가장자리를 콱 물었다.

그걸 보고 모건과 루앤이 손뼉을 치며 환호했다. 디젤은 원반을 입에 문 채 의기양양하게 웃었다. 그 순간, 톰이 운동장 맞은편에서 달려오며 소리쳤다.

"우아! SNS에 올려야겠는걸! 다시 한번 보여 줄래?"

톰이 뒷주머니에서 휴대폰을 꺼냈다. 그러자 디젤이 원반을 물고서 운동장 반대편으로 달려갔다. 나는 디젤을 급히 쫓아갔다. 어떤 남자애가 원반을 뺏으려 했지만, 디젤은 그 애를 피해 잽싸게 달아났다. 시몬도 디젤을 향해 달려가기 시작했다.

절대 못 잡아. 내가 더 빠르거든.

디젤이 시몬을 피해 주차장으로 뛰어갔다.

"디젤, 안 돼! 도로로 나가면 안 돼!"

나는 고래고래 소리를 질렀다. 그때였다. 장난감처럼 작고 빨간 무언가가 달려오는 게 보였다. 스마트 자동차였다!

"디젤, 이리 와!"

나는 비명을 지르며 주차장으로 달려간 뒤, 디젤을 향해 몸을 날렸다. 그렇게 가까스로 디젤의 목줄을 잡았을 때, 그 작은 차가 휙 돌더니 다시 도로 쪽으로 나갔다.

"속도 좀 늦춰요! 아이들이 놀고 있다고요!"

시몬이 그 차를 향해 큰 소리로 외쳤다.

"개들도요!"

모건도 함께 소리쳤다. 나는 디젤을 끌고 잔디밭으로 갔다.

"대체 무슨 생각을 하고 있었던 거야? 그러다 차에 치여 죽을 수도 있었어!"

내가 들어도 내 목소리가 너무 크고 날카로웠다.

나는 노란색 쟁반을 잡으려 했을 뿐이야. 자, 여기!

디젤이 원반을 퉤 뱉어 냈다. 그러고는 허리를 똑바로 세우고 앉았다. 그때 모건이 끼어들었다.

"디젤 잘못이 아니야."

"그래, 알아."

나는 금세라도 울 듯한 목소리로 말했다.

"혹시 그 자동차 번호판 본 사람 있어? 아니면 그 자동차나 운전자를 아는 사람?"

그러자 톰이 되물었다.

"뭐가 문제야? 그 자동차 번호판을 왜 알아야 하는데?"

"그 차가 우리 개를 치었으니까!"

'이번 생에서는 아니지만.'

내 말에 모건이 눈을 가늘게 뜨며 물었다.

"무슨 소리야? 그 차는 가까이 오지도 않았어."

몸이 덜덜 떨리고 머리가 빙글빙글 돌았다. 손으로 뒤통수를 만지자 채 가라앉지 않은 혹이 느껴졌다.

"내 말은, 그 차가 디젤을 칠 수도 있었다는 뜻이야. 아무래도 그 차를 찾아내야 할 것 같아. 경찰을 불러 줘. 그래서 그 운전자에게 속도 위반 딱지를 떼게 해야 해."

"너, 지금 제정신이 아니구나?"

모건이 말하자 시몬이 끼어들었다.

"디젤 정도면 아주 훌륭한 개야. 운전자를 신고하고 싶은 네 마음 충분히 이해해."

저 남자애를 꼭 우리 무리에 끼워 줘야 해. 근데 저 애가 이 노란색 쟁반을 다시 던져 줄까?

디젤이 말했다.

"아니. 너, 이제 그만해!"

나는 큰 소리로 말하고는 원반을 휙 집어서 디젤이 닿을 수 없도록 번쩍 쳐들었다. 하지만 이건 디젤에게 게임의 시작을 의미

했다. 디젤이 높이 뛰어올랐다. 네 발이 전부 공중으로 떠올랐다. 톰이 재빨리 휴대폰을 꺼내 디젤을 찍기 시작했다.

나는 원반을 시몬에게 던졌다. 시몬이 잽싸게 받아 멀리 던져 버렸다. 디젤이 원반을 쫓아 달려가며 높이 뛰어올랐다. 다리를 쭉 뻗은 디젤의 모습은 마치 하늘을 나는 것처럼 보였다. 디젤은 다시 한 번 더 높이 뛰어오르더니 공중에서 몸을 비틀어 입으로 원반을 낚아챘다.

"끝내주는데! 저 개를 제대로 훈련해 보는 거 어때?"

시몬이 말했다.

"그래, 그러면 밖에 나와 다녀도 차 때문에 걱정할 필요가 없지. 나도 쭉 그렇게 말해 왔어!"

모건이 끼어들었다. 그랬다. 모건은 나한테 여러 차례 그 말을 했다. 나는 자꾸만 몸이 떨려서 바닥에 주저앉고 말았다.

톰이 물었다.

"아주 길게 늘어나는 목줄을 사용해 보는 건 어때? 디젤이 원반을 잡으면 목줄을 당겨서 돌아오게 하는 거지."

그러자 시몬이 고개를 가로저었다.

"아니야, 간식을 줘서 원반을 가져오게 하는 편이 더 좋아. 잠깐만, 내 가방에 육포가 있어."

시몬은 골대 쪽으로 가서 가방을 가져왔다. 디젤의 관심은 온통 시몬에게 쏠려 있었다. 급기야 시몬의 발뒤꿈치를 졸졸 쫓아다녔다.

짭짤한 고기 냄새가 나.

시몬이 가방의 주머니를 열자, 디젤은 한쪽 귀를 곧추세우며 바닥에 다소곳이 앉았다. 나는 천천히 숨을 골랐다. 어쩌면 디젤을 훈련해서 자동차를 피하게 할 수 있을지도 모르겠다는 생각이 들었다.

시몬이 육포를 작게 잘라 디젤의 눈앞에 갖다 대며 말했다.

"자, 디젤! 여기 좀 봐."

디젤의 시선이 육포 조각에 붙박였다. 시몬은 육포 조각을 디젤에게 주더니, 다시 작게 한 조각을 잘랐다. 그다음에는 원반을 멀리 던졌다. 그러자 디젤이 허겁지겁 쫓아가 입에 물었다.

시몬이 디젤을 향해 육포 조각을 흔들며 소리쳤다.

"자, 디젤! 이리 가져와!"

디젤은 원반을 바닥에 홱 팽개치고서 시몬을 향해 냅다 달려왔다.

"아니야, 디젤! 원반 가져와."

시몬이 손가락으로 원반을 가리키며 다시 말했다.

"디젤, 육포가 먹고 싶으면 원반을 가져와."

디젤이 되돌아가 원반을 입에 물었다. 그러고는 시몬에게로 돌아와 발밑에다 툭 뱉었다. 그 모습을 보고 있자니 웃음이 절로 나왔다.

시몬이 원반을 주운 뒤 육포를 한 조각 주었다. 둘의 교환이 늘어날수록 디젤이 원반을 물고 돌아오는 속도가 점점 더 빨라졌다.

어쩌면 디젤을 부르면 달려오는 것까지 훈련할 수 있을지도 모르겠다. 이 신기한 장면에 누구보다 푹 빠져 있던 루앤은 어느새 곯아떨어져 있었다. 그 덕분에 모건도 우리와 함께 놀 수 있게 되었다. 가뜩이나 하얗고 가느다란 다리가 반바지를 입고 있어서 더 길어 보였다.

"와우!"

모건이 공중으로 높이 뛰어올라 원반을 잡자, 시몬이 박수를 치며 외쳤다.

그사이 체육관 앞으로 길게 줄을 서 있던 아이들이 건물 안으로 들어가기 시작했다. 저 아이들은 전부 내가 할 수 없는 그것, 바로 수영을 하러 들어가는 중이었다. 해밀턴 호숫가의 부두에서 뛰어내리던 장면이 떠오르자, 또다시 불안해지면서 속이 메슥거렸다.

톰이 원반을 챙기며 말했다.

"그새 수영장 문이 열렸네?"

시몬이 가방을 어깨에 메면서 물었다.

"땅콩, 수영하러 갈래?"

나는 숨을 깊이 들이마신 뒤, 나지막하게 대꾸했다.

"내 이름은 나오미야."

"나오미?"

시몬이 미소를 짓자 눈가에 주름이 잡혔다. 흠, 너무 심술궂게 말했나?

"그럼 나중에 보자."

나는 디젤의 목에 목줄을 채운 뒤, 곧장 뒤돌아 걸어갔다. 디젤은 순순히 잘 따라왔다. 모건도 루앤이 탄 유모차를 밀며 내 뒤를 따랐다.

"시몬, 잘 가."

모건이 뒤늦게 작별 인사를 건넸다.

"이제 그만 좀 할래?"

나는 모건에게 아주 작은 소리로 속삭였다.

"내가 뭘 했는데?"

"그냥 계속 걸어!"

시몬으로부터 충분히 멀어지자, 나는 모건에게 날을 세워 말했다.

"너는 내 말을 도무지 듣지 않잖아. 디젤이 원반 물고 오는 거 싫었다고. 그 스마트 자동차가 디젤을 죽였단 말이야!"

모건이 눈을 가늘게 떴다.

"뭐야? 너, 아직 열사병이 다 안 나은 거야? 그 차는 주차장에서 속도 좀 내다가 그냥 밖으로 나갔잖아."

"아니, 내가 꿈에 관해 이야기했던 거 기억 안 나? 디젤을 친 게 바로 그 차였어."

모건의 입이 떡 벌어졌다.

"그래, 좋아. 네가 그런 악몽을 꿨다고 쳐. 하지만 디젤이 프리스비를 얼마나 좋아하는데. 지금 디젤에게 필요한 건 훈련이야. 워낙 똑똑하기도 하고."

"그래, 네 마음대로 해. 나는 그냥 땅콩이니까."

내가 토라진 목소리로 말하자, 모건이 애써 다시 말을 걸었다.

"나오미, 내가 어떻게 해 줬으면 좋겠어?"

"그 운전자가 어디 사는지 알고 싶어. 사고가 또 일어나지 않도록 막아야 해."

"좋아, 그런데 어떻게 막을 건데? 타이어에 구멍이라도 낼 거야? 그래 봤자 운전자가 타이어를 교체하면 끝이지만."

"나도 모르겠어. 아, 운전자에게 말하면 속도를 늦출지도 모르잖아."

"나오미, 그건 꿈이었어. 누가 네 말을 들어주겠니?"

"알았어, 안 도와줘도 돼."

그러자 모건이 달래듯이 말했다.

"나오미, 우리는 디젤을 훈련하고 있고 목줄도 채우고 있어. 스마트 자동차든 뭐든, 디젤은 이제 그 앞으로 뛰어들지 않을 거야."

나는 걸으면서 계속해서 도로 주변을 살폈다. 혹시 그 스마트 자동차 운전자가 이 동네에 사는 건 아닌지 궁금해서였다.

몇 블록 더 걷고 나서, 모건에게 큰 소리로 말했다.

"그래, 알았어. 디젤을 훈련하고 있으니까 앞으로 괜찮을 거야. 그런데 다른 문제도 도와줄 수 있어?"

"그럼."

나는 걸음을 멈추고 디젤에게 앉으라고 말했다. 디젤은 꼬리만 흔들 뿐 앉지는 않았다.

나는 언제든 너를 보호할 준비가 되어 있어야 해!

나는 모건에게로 고개를 돌렸다.

"정말로 너를 믿어도 되겠지?"

"네 뒤엔 언제나 내가 있을 거야."

"그렇게 말할 줄 알았어. 하지만 이건 꼭 비밀로 해야 해."

나는 잠시 망설였다. 이건 정말로 중요한 일이었고, 한번 입 밖으로 내뱉으면 절대로 되돌릴 수 없었다.

"수영하는 법을 가르쳐 줄 수 있어?"

"뭐? 농담하는 거지?"

모건은 유모차를 더 빨리 밀며 우리 집 쪽으로 뛰어가다시피 했다. 디젤은 나를 목줄로 끌며 모건을 뒤따라갔다.

"와, 디젤을 집에 두고 아까 그 수영장으로 돌아가야 할 이유가 더 늘어났네."

"내 말을 듣긴 한 거야? 내가 비밀이라고 했잖아."

"시몬한테 가르쳐 달라고 하면 엄청 좋아할 거야."

모건은 유모차로 우리 집 대문을 밀고 들어가며 말을 이었다.

"우리 둘 다 알잖아. 시몬이 키 작은 아이를 좋아한다는 거. 우리 삼촌처럼 연약한 여자를 좋아하는 취향일지도 몰라."

"나는 연약하지 않아. 그리고 시몬뿐 아니라 그 누구도 나를 그렇게 생각하지 않았으면 좋겠어. 아무튼 내 뒤엔 언제나 네가 있겠다며? 조금 전에 한 말, 기억 안 나?"

모건이 얼굴을 찡그렸다.

"알았어, 아무튼 공공장소에선 안 된다는 거지? 그것참 까다롭네. 어, 잠깐! 아주 멋진 아이디어가 떠올랐어. 아무도 모르게 수영을 가르쳐 줄 수 있는 곳이 있거든."

왠지 모건의 해결책이 마음에 들지 않을 것 같은 예감이 들었다. 그런데 뭐, 언제는 마음에 든 적이 있었나? 내겐 선택권이 없었다.

6월 26일 토요일

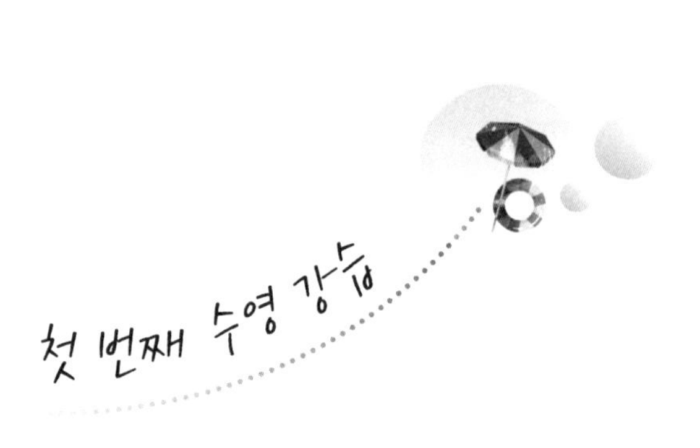

첫 번째 수영 강습

모건의 아이디어에서 굳이 좋은 부분을 골라 보자면, 그곳에 디젤과 루앤을 데리고 갈 수 있다는 점이었다. 루앤에게 방수 기저귀를 입히라고 강요할 사람도 없을뿐더러, 디젤을 밖에 묶어 두지 않아도 되었다.

우리는 모건 삼촌이 여름 동안 관리하고 있는 어느 집의 개인 수영장에 갈 예정이었다. 모건 말로는, 삼촌이 기꺼이 수영장을 사용해도 된다고 허락해 주었다는 것이다. 물론 삼촌이 정말로 허락해 줬는지는 확신할 수 없지만.

"대신에 오줌이 마려워도 꾹 참아야 돼. 물에다 오줌을 누면 수영장의 소독약 때문에 물 색깔이 빨갛게 변할 수도 있대."

"흥, 거짓말."

나는 모건에겐 이렇게 말했지만, 혹시 몰라서 아침에 화장실을 두 번이나 다녀왔다.

"루앤, 수영하러 갈 거야. 너도 분명 좋아할걸!"

엄마와 캐시 이모가 이삿짐을 싸기로 했기 때문에, 오늘도 내가 하루 종일 루앤을 돌봐야 했다. 우리는 7월 첫째 주에 이모네 집으로 이사하기로 했다.

지난번과는 확실히 다른 방향으로 일이 진행되고 있었다. 엄마는 그때 내게 집세를 내지 못하고 있다는 말을 하지 않았다. 그저 아빠에게 화가 엄청 나 있을 뿐이었다.

물론 엄마가 이사를 두 팔 벌려 환영한 건 아니었다. 찬장을 비우면서 한숨을 푹푹 내쉬었는데, 그 찬장은 엄마가 노란색 벽과 색감을 맞추기 위해 일부러 하얀색 페인트로 칠한 거였다. 엄마는 마치 임대 연립 주택이 아니라 친한 친구와 헤어지는 것처럼 슬퍼 보였다. 그에 비하면 아빠는 너무도 쉽게 집에서 쫓아냈지만!

아빠가 여기로 와서 짐 싸는 걸 도와주면 좋을 뻔했다. 엄마와 이모가 아빠를 흉보는 소리를 들었기 때문이다. 아빠는 다정하고 친절한 성격이지만, 언제 어떻게 적극적으로 나서야 하는지를 잘 몰랐다.

이모는 우리와 같이 살게 되어서 기분이 매우 좋은 듯했다. 이모부는 일 때문에 한 달에 한 번씩만 집으로 왔다. 어쨌거나 이제 루앤을 돌봐 줄 사람이 더 많아졌다. 게다가 집세를 절반만 내어도 되었다. 어쩌면 이번에는 루앤을 돌본 값을 받을 수 있을지도 모르겠다.

나는 아빠에게 몰래 전화를 걸어 이쪽으로 오라고 했다.

"엄마한텐 지금 아빠가 필요해요. 이사 때문에 몹시 힘들어 하거든요."

"나오미, 지금은 못 가. 이제 막 교대 근무를 시작했거든. 너도 알잖아. 이번에 돈을 적게 갖다 준 거."

"그럼 최대한 빨리요, 알았죠?"

"그래, 나중에 보자."

그때 누군가가 옆문을 쿵쿵 두드려서 내 정신을 흩트려 놓았다.

"왈! 왈!"

디젤이 반가운 사람이 온 듯 낮게 짖었다.

피자 소녀다!

모건이었다.

"안녕, 모건? 혹시 수영장 가기 전에 마트에 들러도 되니? 육포를 좀 사려고."

음, 짭짤한 고기!

디젤이 기쁨에 차서 엉덩이를 마구 흔들었다. 그런데 모건이 고개를 기우뚱거렸다.

"왜? 비싸기만 하고 맛도 별로 없는데."

"디젤을 계속 훈련해야지."

"시몬이야 걔네 아빠가 윌로우 농장에서 일하니까 공짜로 얻은 거지. 너희 집에 비엔나소시지 없어? 그걸로 대신하면 돼."

비엔나소시지? 피자 소녀, 아주 맘에 들어.

디젤이 흡족한 표정을 지었다.

그때 엄마가 우리 대화를 들었는지, 냉장고 문을 열고 봉지 하나를 꺼낸 뒤 내게 툭 던졌다.

"자, 이거 가져가. 어차피 유통 기한 지났으니까."

나는 두 손으로 봉지를 받아 들며 걱정스레 물었다.

"디젤이 이걸 먹고 아프지는 않겠죠?"

디젤이 내 앞에서 엉덩이를 내리고 앉아 한쪽 앞발을 올렸다가 다른 쪽 앞발을 올렸다가 했다.

"동물 보호소에서도 이런 걸 간식으로 먹이더라고. 이거, 전자레인지에 데우자."

모건이 내게서 봉지를 가져가며 말했다.

그동안 나는 루앤의 기저귀를 간 다음 유모차에 태웠다. 그리고 우리 둘이 쓸 수건을 챙겼다. 모건은 전자레인지에서 비엔나소시지를 꺼내 얇게 썬 뒤 지퍼백에 쓸어 담았다.

내가 목줄을 채우고 있을때, 모건이 비엔나소시지 한 조각을 꺼내 디젤에게 주었다. 그러고는 내게서 목줄을 가져갔다. 나는 유모차를 살짝 들어 올린 뒤 밀어서 문턱을 넘어갔다.

오늘 아침은 지난 며칠보다 한결 시원했다. 지난번 토요일과도 달랐다. 나는 그때 더위를 피해 지하실로 가서 〈베일리 어게인〉을 보며 눈물을 찔끔찔끔 흘렸다. 며칠 사이에 기온이 이렇게 변할 수 있다면 인생도 달라질 수 있겠지?

나는 유모차를 밀면서 도로를 샅샅이 살폈다. 스마트 자동차는 그 어디에도 보이지 않았다. 분명 이 근처 어딘가에 있을 텐데……. 긴장을 늦추지 않은 채로 손목시계를 흘끗 보았다. 숫자가 바뀌어 있기를 바랐지만, 여전히 '7월 1일, 목요일, 4시 30분'이었다.

우리가 안전해지면 시간 카운터가 다시 작동할 거야.

디젤이 다시 한번 말해 주었다.

우리는 지금 수영을 하러 가고 있다. 이보다 더 위험한 일이 있을까? 맥박이 파도처럼 귓가를 세차게 쿵쿵 두드렸다. 호흡도 점점 빨라졌다.

디젤이 별일 없이 잘 쫓아오면, 한 블록을 지날 때마다 멈춰서서 비엔나소시지를 한 조각씩 주었다.

이렇게 하면 속도가 느려져. 그냥 한꺼번에 주는 게 어때?

'너는 도로로 뛰어들지 않는 법을 배워야 해.'

그러자 디젤이 한 음으로 애처롭게 울었다. 사실 디젤 말이 맞긴 했다. 시간이 너무 오래 걸렸다.

주변에서 무언가 소리가 들릴 때마다 바짝 긴장이 되었다. 이 모든 소리와 풍경이 디젤을 흥분시키는 요인으로 작용하기 때문이었다. 나는 수시로 모건을 보며 목줄을 꽉 잡고 있는지 확인했다.

"다 왔다. 어때, 여기까지 온 보람이 있지?"

어느새 눈앞에 성처럼 웅장한 회색 석조 건물이 보였다. 이런 집에서 살 수 있다면 더는 바랄 게 없을 것 같았다.

우리는 옆으로 난 검은색 철제문을 열고 안으로 들어갔다. 뒷마당도 무척 고급스러워 보였다. 회색과 베이지색 널빤지가 깔린 테라스가 강낭콩 모양의 수영장을 둘러싸고 있었고, 한쪽 구석에는 삼나무 지붕을 얹은 오두막이 한 채 있었다.

오두막 옆에 놓인 구유 모양의 석조 통에선 고사리처럼 생긴 양치식물이 자라고 있었다. 석조 통과 울타리 사이의 잔디밭은 더없이 푸릇푸릇했다. 이 도시의 다른 곳과 똑같은 더위를 견뎠다는 게 도무지 믿기지 않을 정도로 싱그러워 보였다. 마치 다른 세상에 온 것 같았다.

모건이 반바지와 상의를 벗은 다음, 수영장의 한쪽 끝으로 달려갔다. 나는 루앤의 기저귀를 벗긴 뒤 고무 팬티를 입혀 주었다. 그러고는 햇빛에 타지 않도록 낡은 티셔츠를 입혔다.

모건이 물었다.

"얘 팔에 끼울 튜브는 없어?"

나는 고개를 끄덕였다.

"너는 옷을 언제 갈아입을 거야?"

모건의 말에 나도 티셔츠와 반바지를 벗었다. 모건이 내 분홍색 수영복을 빤히 쳐다보았다.

"너무 촌스러운데?"

"몇 년 전에 이모가 생일 선물로 주신 거야."

"인어 공주는 열 살짜리 꼬마한테나 어울리지."

모건이 눈을 가늘게 뜨고 내 엉덩이를 보며 말을 이었다.

“아직도 몸에 맞아?”

“응, 슬프지? 뭐, 나는 수영을 자주 하지는 않으니까 괜찮아.”

“엉덩이 쪽은 완전히 닳았는데?”

모건은 고개를 절레절레 젓더니, 루앤에게 미소를 지으며 손을 내밀었다.

“꼬맹아, 가자.”

둘은 계단을 내려가 물속으로 들어갔다. 곧이어 나도 따라 들어갔다. 물에 뜨는 법을 배울 수만 있다면 정말 완벽할 텐데……. 별안간 아쉬운 마음이 들었다.

어느새 모건은 루앤과 함께 수영장 한가운데로 들어가 있었다.

조심해! 조심하라고!

그걸 보고 디젤이 이리저리 뛰어다녔다.

“좋아, 나오미. 네가 어디까지 할 수 있는지 한번 시험해 보자. 저쪽으로 헤엄쳐 볼래?”

모건이 수심이 얕은 쪽을 가리키며 말했다.

“저렇게 멀리까지는 못 가.”

“그래도 한번 해 봐.”

나는 물속으로 쑥 들어간 뒤, 학교 체육관의 수영 강습에서 배운 대로 팔다리를 마구 휘저었다.

모건이 말했다.

“뭐야, 제자리에서 허우적거리기만 하네.”

사실 허우적거리는 것도 아니었다. 나는 물을 푸푸 뱉어 내며 점점 가라앉고 있었다.

모건이 손을 내밀며 외쳤다.

"그만, 그만! 네 손발이 따로 노는 건 익히 알고 있었지만 이 정도일 줄이야……. 야, 그래도 수영할 때 입은 다물고 있어야 하지 않아?"

나는 온 힘을 다해 모건의 손을 잡았다.

"자꾸 그렇게 못되게 말해야겠어? 어쩔 수 없어. 나는 몸치니까. 네가 바보여서 어쩔 수 없는 것처럼!"

그러자 디젤이 우리를 향해 날카롭게 짖었다. 엄마랑 아빠가 다툴 때도 디젤은 이렇게 짖곤 했다.

싸움은 안 돼!

디젤의 목소리를 들으니까 모건에게 소리친 것이 후회가 되었다. 모건이 어깨를 으쓱하며 말했다.

"그래, 나는 바보 멍청이야."

나는 한숨을 푹 내쉰 뒤 대꾸했다.

"그럼 우리 둘 다 멍청하고 한심하다는 데 동의했으니, 서로에게 그런 말은 그만하도록 할까? 서로의 자존심에 굳이 상처를 낼 필요는 없잖아!"

모건이 짐짓 흥, 하고 코웃음을 쳤다. 그 모습에 내가 살짝 웃자, 루앤도 함께 미소를 지었다. 디젤도 짖는 걸 멈췄다.

이윽고 모건이 말했다.

"손과 발을 동시에 움직이려고 하니까 힘든 거야. 그리고 입을 꾹 다물고 있어 봐. 너도 물을 마시고 싶지는 않잖아."

모건이 루앤과 함께 물속에서 공기 방울을 푸푸 내뿜었다. 나는 그 모습을 따라 했다.

"봤지? 숨을 내쉬면 물이 입속으로 들어가지 않아. 아기들이 수영할 때 가장 먼저 배우는 거야."

"나는 아기가 아니야!"

"치, 너한테 아기라고 한 적 없거든? 그러니까 내 말은, 그만큼 쉽다는 뜻이야. 그리고 물속에서 똑바로 서 있으려 하지 말고 몸을 앞으로 내밀면서 손을 휘저어 봐, 강아지처럼."

물속에서 입을 꾹 다물고 있는 건 생각보다 쉽지 않았다. 나는 코로 숨을 내보내는 데 집중하며 손과 발을 부지런히 휘저었다. 그러자 몸이 가라앉지 않고 조금씩 앞으로 나아갔다.

그때 디젤이 물속으로 첨벙 뛰어들어 내게로 헤엄쳐 왔다.

조심해! 나를 봐. 내 발을 잘 보라고.

"재 좀 봐. 우아, 정말 믿을 수가 없네. 너한테 시범을 보여 주고 싶은가 봐."

모건이 놀랍다는 듯이 말했다.

"아니면 나를 구해 주러 왔거나."

'나는 괜찮아.'

디젤에게 속으로 이야기한 뒤, 디젤을 수영장 계단 쪽으로 보냈다. 내가 수영 연습을 하는 동안 혹시라도 디젤이 위험에 처할까 봐 걱정이 되었다. 디젤은 민첩하게 밖으로 나간 다음 몸을 흔들어 물을 털었다.

"좋아, 이번에는 다른 걸 시도해 보자. 개헤엄이 좀 힘들긴 하지. 차라리 평영을 해 볼까? 그게 훨씬 더 쉬워. 이렇게 하면 돼."

모건은 루앤을 수영장 가장자리에 앉히고는 기도하는 사람처럼 두 손을 가슴 앞에 모았다. 그러고는 팔을 앞으로 쭉 내밀었다가 바깥쪽으로 크게 벌렸다. 루앤이 모건을 따라 하며 두 팔을 활짝 벌려 보였다.

"지금은 다리에 신경 쓰지 마. 그냥 웅크린 자세에서 팔 동작만 연습해 봐. 아냐, 아냐! 손바닥으로 물을 밀어내야지!"

그때 루앤이 몸을 앞으로 숙였다.

"조심해!"

내가 소리치자 모건이 곧장 뒤로 돌아섰다. 하지만 너무 늦어버렸다. 루앤의 얼굴이 벌써 물속에 잠기고 있었다. 디젤이 잽싸게 물속으로 뛰어들었다. 모건도 루앤을 쫓아 급히 물속으로 들어갔다.

나 역시 그쪽으로 쏜살같이 가고 싶었지만, 물이 자꾸만 내 다리를 반대쪽으로 밀어냈다. 너무 느렸다! 문득 어린아이들이 얼마나 빨리 익사할 수 있는지에 관한 기사를 읽은 기억이 났다.

그러자 내 손목시계처럼 일순간에 시간이 모두 멈춘 것 같은 착각이 들었다. 지난주에 익사했던 기억이 되살아나면서 나를 한사코 반대쪽으로 밀어냈다. 그래도 온 힘을 다해 앞으로 나아갔다. 수영장 바닥에 파랗게 질린 얼굴로 누워 있는 루앤의 모습이 머릿속으로 스쳐 지나갔다.

디젤이 루앤을 향해 미친 듯이 돌진했다. 하지만 그 시간이 너무도 길게 느껴졌다. 루앤이 이런 공포를 견딜 수 있을까? 나는 수영을 할 수가 없었다. 그래서 루앤을 구할 수 없었다. 심장이 쿵쾅쿵쾅 거칠게 뛰었다.

마침내 모건과 루앤의 머리가 수면 위로 떠올랐다. 루앤이 두 눈을 깜빡이며 콜록콜록 기침을 했다. 디젤이 다행이라는 듯 왈왈 짖었다. 곧이어 루앤이 울음을 터뜨렸다. 모건이 루앤을 안고서 등을 토닥였다.

"괜찮아, 이제 괜찮아."

나는 디젤과 함께 수영장 계단을 오르며 이렇게 말했다.

"집에 가야겠어."

"그럴 것까지야……. 루앤은 물속에 겨우 이 초 정도 있었어."

'그 정도밖에 시간이 흐르지 않았다고?'

시간 카운터가 멈춘 거야. 우리가 안전해질 때까지.

디젤이 머릿속에서 대답했다.

'그게 무슨 뜻이야? 우리라면, 루앤까지?'

우리, 전부.

"모건, 루앤이 죽을 수도 있었어!"

내가 사납게 소리쳤다.

"쉬잇! 잠깐만!"

모건이 미간을 잔뜩 찡그린 채 나를 쳐다보았다. 그러더니 목소리를 한껏 누그러뜨리고서 루앤에게 말했다.

"겁을 조금 먹었을 뿐이야. 그렇지, 루앤? 대신에 물속에 함부로 뛰어들면 안 된다는 교훈을 얻었을 거야."

"교훈은 네가 얻어야지!"

나도 내가 과민 반응을 하고 있다는 걸 알고 있었다. 어쨌거나 나는 루앤이 익사하는 줄 알았다. 심장이 아직도 쿵쾅거렸다. 그래서 볼멘소리로 덧붙였다.

"수영장에선 아기한테 등을 보이면 안 된다고."

모건이 한숨을 내쉬었다.

"알았어, 미안해. 다신 안 그럴게. 그리고 내가 아까 물었잖아. 팔에 끼우는 튜브 없냐고. 자, 이제 수영 연습이나 계속하자."

"아, 안 돼. 오줌 마려워."

"집에서 화장실 안 다녀왔어?"

"다녀왔지. 근데 루앤이 물에 빠지는 순간 너무 긴장을 해서."

"알았어. 저기, 오두막 뒤로 가 봐. 그리고 이제 잊어. 수영 연습은 아직 시작도 안 한 셈이니까."

나는 고개를 절레절레 흔들었다. 이제 수영을 한다는 생각만 해도 끔찍했다. 그렇다고 수영을 배우지 않으면 물 근처에만 가도 불안할 것이다. 결국 아무 데도 가지 못할 터였다. 수영을 하기 위한 첫 번째 단계는 긴장감 극복이었다.

수영장에서 나와 오두막 뒤로 걸어갔다. 디젤이 내 주위를 맴

돌며 큰 소리로 짖었다.

"쉿, 조용히 해. 쉿!"

네 발 달린 작은 동물들이 이 속에서 굴을 파고 있어!

디젤이 사방으로 흙을 흩뿌리며 울타리 밑으로 구멍을 파기 시작했다.

소변을 급히 보고 나서, 미친 듯이 땅을 파고 있는 디젤을 다른 쪽으로 끌어냈다. 그러고는 디젤이 파헤쳐 놓은 흙을 다시 메꾸고 발로 꾹꾹 밟았다. 우리가 한 짓을 아는 사람은 아무도 없겠지?

그런데 그때, 누군가가 우리를 지켜보고 있는 듯한 느낌이 들었다. 고개를 들어 보니, 옆집 이층의 창문 너머로 쪼글쪼글하게 주름진 얼굴의 할머니가 실눈을 뜨고서 나를 쳐다보고 있었다.

"내가 다 봤어. 경찰에 신고할 거야!"

나는 아무 말도 하지 못한 채 오두막을 돌아 모건에게 뛰어갔다. 디젤이 내 발뒤꿈치를 졸졸 따라왔다.

"여기서 얼른 나가야 해. 오두막 뒤에서 소변 보는 걸 옆집 할머니가 봤어."

"아, 걱정하지 마. 안 그래도 삼촌이 미리 얘기해 주셨거든. 그 할머니 말은 아무도 귀담아듣지 않는대. 항상 이렇게 말한다나 봐. '경찰에 신고할 거야!'"

나는 뒤를 힐끔 돌아보았다. 할머니 얼굴이 창문에서 사라지고 없었다.

"그럼 경찰에 신고하지 않는다는 거야?"

"무슨 상관이야? 여기서 계속 수영해도 돼. 삼촌한테 허락받았잖아. 자, 이리 들어와. 이제 다른 동작을 해 보자. 수영장 벽을 잡고 개구리처럼 다리를 차 봐."

모건이 빙긋 웃으며 말했다. 나는 수영장 벽을 잡고 조심조심 깊은 데로 들어갔다. 왠지 바보가 된 듯한 기분이 들었다. 배가 사르르 아픈 것 같기도 했다.

잘하고 있어!

디젤이 수영장 밖에 서서 몸을 기울여 혀로 내 얼굴을 핥았다. 모건은 루앤이 얕은 물에서 팔을 휘저으며 수영할 수 있도록 옆에서 도와주었다.

"자, 팔을 돌리면서 다리를 힘차게 탁! 탁! 탁!"

루앤은 무척 신난 표정을 짓고 있었다. 조금 전에 죽을 뻔한 경험은 까맣게 잊어버린 듯했다. 나도 루앤처럼 할 수 있다면 참 좋을 텐데.

모건이 말했다.

"루앤이 너보다 빨리 배울 거야."

"또 못되게 말한다!"

하지만 이번에도 모건은 진실을 말하고 있었다. 모건은 항상 이런 식으로 내게 잽을 날렸다. 내 팔다리는 절대로 조화롭게 움직이지 않았다.

루앤이 슬슬 보채기 시작했다. 집에 있었다면 젖병을 물리거나 간식을 주었을 것이다. 그 순간에 깨달았다. 내 배가 살살 아픈 느낌이 들었던 건 단순히 긴장해서 그런 것만은 아니었다. 배가 고파서였다.

내가 소리쳤다.

"야, 배고프다. 이제 그만 집에 가자."

"그래, 오늘은 여기까지인 것 같네. 나도 배고파."

모건이 루앤을 안고 수영장 밖으로 나갔다. 나는 젖은 수영복 위에 반바지와 윗도리를 대충 걸쳤다. 그러자 겉옷 곳곳에 짙은 얼룩이 번져 갔다.

밖으로 나가면서 진입로 주변을 꼼꼼히 확인했다. 스마트 자동차는 없었다. 도로에 자동차가 많아 매우 혼잡했다. 얼마 안 남은 비엔나소시지로 디젤을 잘 통제할 수 있기를 바랐다.

집까지 몇 블록 안 남았을 때, 디젤이 목줄을 마구 잡아당기며 짖기 시작했다.

누군가 온다!

"왜 그래?"

모건이 물었다.

쟁반을 갖고 놀던 남자애들 냄새가 나.

물론 디젤의 대답은 내 머릿속에서만 들렸다. 루앤이 유모차에서 엉덩이를 들썩이기 시작했다. 아니나 다를까, 시몬과 톰이 모퉁이를 돌아 우리 쪽으로 걸어왔다.

"안녕, 얘들아!"

시몬이 우리를 보고 반갑다는 듯이 소리쳤다. 톰도 손을 흔들었다. 둘이 가까이 다가오자, 디젤이 앞발을 들고 껑충껑충 뛰었다.

"앉아."

모건이 디젤의 머리에 손을 얹으며 말했다.

안 돼, 저 애한테 내 애정을 보여 줘야 한단 말이야.

디젤이 불평했다.

그사이에 시몬이 다가와 디젤 앞에 멈춰 섰다. 그러고는 조그맣게 속삭였다.

"그래, 알았어. 얌전히 앉아 있으면 내가 쓰다듬어 줄게."

디젤이 다리에 올라타려 하자, 시몬이 무릎으로 살짝 밀어냈다.

"많이 나아진 거야, 진짜로."

내 말에 시몬이 고개를 들며 미소를 지었다. 순간, 내 다리가 국수 가락마냥 흐물흐물해지는 것만 같았다. 그런데 시몬의 시선이 차츰차츰 아래로 내려갔다. 나도 덩달아서 고개를 숙였다. 옷 곳곳에 젖은 얼룩들이 보였다.

이때를 놓치지 않고 모건이 조잘조잘 떠들어 댔다.

"바지에다 오줌 싼 거 아니야. 혹시라도 그런 생각을 하고 있을까 봐……. 아까 오두막 뒤에서 볼일은 다 봤거든."

나는 모건의 팔을 힘껏 내리쳤다.

"아야!"

그러자 디젤이 왈왈 짖었다.

때리면 안 돼! 그건 안 좋은 거라고! 안 돼, 안 돼!

"그렇게 생각 안 했어."

시몬이 키득키득 웃으며 대답했다.

"혹시 이따 오후에 수영장에 갈 거니?"

톰이 물었다. 모건과 나는 동시에 다른 대답을 했다. "응."과 "아니."로! 우리는 서로를 물끄러미 쳐다보았다.

내가 얼른 덧붙였다.

"나는 안 돼. 아빠를 만나야 하거든."

실제로 지난번 주말에는 아빠를 만나지 못했다. 엄마는 아빠한테 디젤 일로 내가 너무 힘들어 해서 갈 수가 없다고 전했다.

이번에는 꼭 아빠를 만나고 싶었다. 그래서 수영장에는 가지 않을 참이었다. 수영도 못하는 데다 사람이 많은 것도 싫었다. 게다가 또……, 익사할 수도 있었다.

"음, 나는 갈 수 있어."

모건이 뒷주머니에 손을 꽂으며 말했다. 그러고는 내게 또 윙크를 했다. 이런 식으로 사람을 계속 당황하게 하다니! 모건과의 관계(?)를 정말이지 정리하고 싶어졌다. 틈만 나면 윙크를 날리는 아이와 대체 어떻게 신뢰를 쌓을 수 있을까?

나는 시몬 일행과 작별 인사를 나눈 뒤, 모건에게 일부러 한 마디도 하지 않았다. 그사이에 루앤은 잠이 들었다.

"나오미, 화내지 마. 내가 가는 게 너한테도 좋을 거야. 너를 위해서 시몬을 잘 지켜볼게. 그리고 아까 톰이 나를 바라보는 눈빛

봤어?"

"아니, 못 봤어. 내 젖은 티셔츠를 쳐다보는 것만 봤어."

"멋지지 않니? 너는 시몬이랑, 나는 톰이랑."

"너 말이야, 내가 오두막 뒤에서 오줌 눈 거, 꼭 말해야 했니?"

"바지에다 실수했다고 생각하는 것보다는 낫지. 솔직히 말해서 내가 널 위해 얼마나 애쓰는지 모르지?"

"나는 전혀 모르겠는데?"

"조금 전에만 해도 내가 일부러 시간 내서 너한테 수영을 가르쳐 줬잖아. 그리고 지금도 봐. 너희 집 티라노사우루스를 누가 데려가고 있니?"

흠, 이 부분은 인정해야 했다.

마침내 집에 도착했다. 디젤을 먼저 들여보낸 다음, 모건과 함께 유모차를 들어 집 안으로 옮겼다. 모건은 뭔가를 더 기대하는 것마냥 계속해서 우리 주변을 서성였다.

"수영 가르쳐 줘서 고마워."

"근데 정말로 이따가 아빠 만나는 거야? 나는 그냥 하는 말이라고 생각했거든. 혹시 그런 거라면 수영장에 가지 말고 나랑 다른 걸 하면서 노는 건 어때?"

"아니야, 일요일까지 아빠랑 있을 거야."

나는 잠시 멈춰 서서 모건을 바라보았다. 모건은 진심으로 나랑 친구가 되고 싶은 걸까?

"아빠가 일 때문에 약속을 취소하시지만 않는다면 말이야."

그러자 모건이 미소를 지었다.

"그래, 아빠들은 늘 일이 많지. 그렇지 않니?"

"우리 아빠는 아니야. 일이 그렇게 많지 않아."

사실 모건과 나는 공통점이 많았다. 우리는 똑같이 가난한 동네에 살고 있고, 부모님은 헤어져 있는 상태였다. 하지만 우리 엄마랑 아빠는 이대로 계속 떨어져 있으면 안 되었다. 나한테 무슨 일이 생기면 둘이 의지하며 살아가야 하기 때문이었다. 그러니까 둘에게는 로맨틱한 데이트가 꼭 필요했다. 모건의 부모님에게는 설령 효과가 없었다 해도.

"모건, 조만간 파자마 파티하러 너희 집에 가도 될까? 나는 그런 걸 한 번도 해 본 적이 없거든."

"한 번도? 그래, 아빠 집에서는 언제 돌아오는데?"

"일요일에. 그리고 나한테 이것저것 정리할 시간이 하루쯤 더 필요해."

내게는 정말로 하루가 더 필요했다. 아빠한테 미리 이야기해서, 엄마랑 데이트 약속을 잡도록 해야 하니까.

"음, 그럼 화요일 어때?"

"좋아, 우리 엄마도 괜찮다고 하실 거야. 방학이잖아."

모건이 어깨를 으쓱해 보였다. 그러고는 나랑 같이 아빠를 만나러 가고 싶기라도 한 듯이 잠시 머뭇거렸다. 하지만 모건을 초대할 수는 없었다. 아빠와 둘이서 의논해야 할 것들이 있었다. 우선 화요일 밤에 엄마랑 데이트를 하라고 말해 줄 참이었다.

"나중에 보자. 수영장에서 재미있게 놀고."

모건의 얼굴에서 웃음기가 사라졌다.

"너도 없는데 무슨 재미로 놀아?"

모건이 어깨를 축 늘어뜨린 채 현관문을 열었다.

"모건?"

"왜?"

"월요일에 수영 더 가르쳐 줄 수 있어?"

"당연하지."

모건이 방긋 웃었다.

'와우! 우리, 이제 진짜 친구가 되어 가고 있구나.'

나는 잠시 생각에 잠겼다.

"내가 루앤을 위해서 팔에 끼우는 튜브를 가져올게. 남동생이 쓰던 게 있거든."

모건은 내게 윙크를 하며 말을 이었다.

"남동생이 쓰던 유아용 변기도 가져올게. 음, 너를 위해서!"

헉! 나는 다시 모건이랑 관계를 정리하고 싶어졌다.

6월 26일 토요일

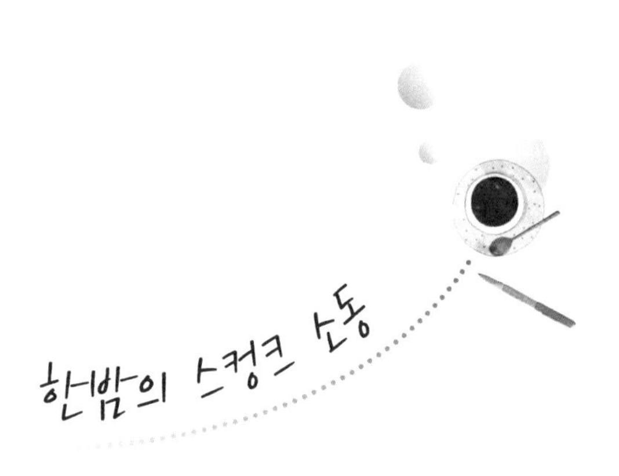

레오 삼촌네 집으로 가는 길이었다. 아빠는 결혼기념일 사건 이후로 삼촌 집에서 지내고 있었다.

디젤이 내 무릎에 올라서더니, 나를 차 문 쪽으로 밀어냈다.

너무 빨리 움직이고 있어! 비상 탈출구 근처에 있어야 해!

"괜찮아. 자, 창문을 열어 줄게."

나는 차 문이 잠겼는지 확인하고는 창문을 열었다.

'밖으로 뛰어내리면 안 돼.'

혹시 몰라서 디젤의 몸통을 두 손으로 꽉 붙잡았다. 시간 카운터가 다시 움직일 때까지는 우리 중 아무도 안전하지 않았다.

호수랑 물고기 냄새가 나!

디젤의 이 말은 내 익사 사고를 떠올리게 했다. 나는 아빠를 보며 물었다.

"올여름에 수영 가르쳐 준다고 약속하지 않으셨어요?"

아빠가 가르쳐 준다면 수영을 더 빨리 배울 수 있을 것이다.

"미안. 좀 바빴어. 내일 오후부터 시작하자. 내일은 꼭 할 수 있어."

"좋아요, 근데 엄마가 이삿짐 싸느라 무척 힘들어하는 거 알고 계시죠?"

"당연히 알지. 네 엄마는 절대로 가만히 있지 않잖아. 가끔은 좀 쉬면서 인생을 즐기면 좋을 텐데."

"엄마는 아빠 곁에 있어야 쉴 수 있을걸요."

"초대형 화면으로 영화를 볼 수 있게 되면 네 엄마가 무척 좋아할 줄 알았지. 꼭 집에서 데이트하는 것처럼 말이야."

"아빠, 엄마는 그날 너무 더워서 그냥 짜증이 났을 뿐이에요."

지난 주말, 그러니까 내가 아빠를 만나러 가는 대신 엄마랑 집에 있었던 주말에는 내내 둘이서 영화만 봤다. 엄마는 집에서 영화 보는 걸 좋아했다. 그리고 왠지 내가 아빠한테 가 있는 걸 원하지 않는 눈치였다.

"언제 한번 저녁에 엄마랑 영화 한 편 보는 거 어때요?"

"지금껏 애쓰고 또 애썼어. 이제는 뭘 더 어떻게 해야 할지 모르겠구나."

아빠 말에 나는 한숨을 푹 내쉬었다.

"다음 주 화요일에 파자마 파티하러 모건네 집에 갈 거예요.

그러니까 그날이 좋을 것 같아요."

아빠는 잠시 동안 아무 말도 하지 않았다.

"〈지옥의 묵시록〉 어떨 것 같니? 엄마랑은 아직 못 본 영화인데……."

"으윽, 안 돼요! 뭔가 로맨틱한 영화로 골라 보세요!"

"흐음, 그 영화가 세상의 종말을 다루고 있거든. 난 그게 좀 로맨틱하다고 생각되는데."

아빠가 머리를 긁적였다.

그때 창문 너머 풍경을 구경하던 디젤이 재채기를 했다. 그러고는 나한테 고개를 돌리더니, 내가 밀어낼 때까지 내 얼굴을 핥기 시작했다.

사랑해, 사랑해.

내 얼굴에 금세 미소가 떠올랐다. 나한테 효과가 있다면 엄마에게도 그럴 것이다. 그래서 아빠에게 이렇게 말했다.

"엄마한테 사랑한다고 말해 보세요."

"그게 효과가 있을 것 같니?"

"아마도요. 게다가 엄마 짐 싸는 것도 도와준다고 하셨잖아요."

"크, 네 엄마가 내 짐을 쌌던 것처럼?"

아빠가 장난스럽게 미소를 지었다. 아마도 그 일에 더는 화가 나지 않는 모양이었다. 달걀 실험 때문에 열받은 엄마가 아빠 짐을 싸서 집 밖으로 던져 버렸던 그 일 말이다.

“이거랑 그거는 다르죠. 어, 잠깐만요. 아빠, 혹시 저 표지판 보셨어요?”

“무슨 표지판?”

“저기요! 스쿨버스 운전사 모집……. 한번 알아보세요.”

“이미 알아봤을 거라고는 생각 안 하니?”

아빠가 내 머리카락을 헝클어뜨리며 미소를 지었다. 순간, 무언가 감이 딱 왔다.

“나한테 말 안 한 거 있으시죠?”

“그래서 요즘 그렇게 바빴던 거야. 이론 수업 듣고 운전 연습까지 하느라고.”

“아빠, 정말 대단해요! 근데 왜 엄마한테는 아무 말 안 하셨어요?”

“떨어질 수도 있으니까. 이번 주에는 세인트존스 병원 구급차 교육 과정도 들어야 해. 어쨌든 학기가 시작되면 스쿨버스를 운전할 수 있을 거야. 그래 봐야 아르바이트 자리 하나 더 느는 것뿐이라, 네 엄마 성에는 안 찰걸?”

“아니에요, 아닐 거예요.”

나는 아빠에게 미소를 지으며 엄지를 들어 올렸다. 곧이어 아빠와 하이 파이브를 했다.

이윽고 레오 삼촌네 집에 도착했다. 삼촌은 뒷마당에 휴대용 화로를 설치해 두었다. 우리는 화로에 불을 피우기 위해 지난번

폭풍 때 날아와 바닥에 마구 흩어져 있는 나뭇가지들을 주워 모았다.

나뭇가지가 한 무더기 쌓이자 아빠가 오래된 신문을 접어 그 위에 쌓았다. 그러고는 석유를 골고루 뿌렸다. 삼촌이 성냥을 획 그어 던지자, 펑 소리와 함께 주황색 불길이 치솟았다.

아빠가 내게 비엔나소시지를 꿴 꼬챙이를 건넸다.

"윌로우 농장에 있는 매장에서 사 온 거야."

"거기도 지원하셨어요?"

아빠 얼굴에 금방 미소가 번졌다. 내가 원한 답이었다.

"정말요? 당장 엄마한테 얘기해 줘요."

"안 돼, 고작 이력서만 냈을 뿐이야."

"아빠가 이렇게 노력하고 있다는 사실을 엄마가 알아야 하잖아요. 그래서 두 분 사이가 다시 좋아질 수 있다는 희망을 심어 줘야 한다고요."

나는 비엔나소시지가 꽂혀 있는 꼬챙이를 이리저리 뒤집었다. 비엔나소시지가 껍질을 터뜨리며 향긋한 냄새를 풍겼다.

"어쨌든 지금은 엄마한테 이런저런 말 하지 마. 스쿨버스 일은 내가 나중에 봐서 적당한 때에 너희 엄마에게 알려 줄게."

그때 삼촌이 끼어들었다.

"소시지가 다 익은 것 같은데?"

엄마랑 있으면 접시가 대부분 채소로 채워졌다. 하지만 아빠와 삼촌이랑 있으면 항상 인스턴트 음식이나 패스트푸드가 그

자리를 차지했다. 심지어 감자튀김 가게에서 사용하는 싸구려 일회용 종이 접시에 음식을 담아 먹었다. 나이프와 포크는 몇 개 있었지만 그릇이나 접시는 아예 없었다.

비엔나소시지를 다 먹은 후에는 마시멜로를 구웠다.

"으윽, 더 잘할 수 있었는데."

아빠가 시식용으로 마시멜로 하나를 내게 건네며 말했다. 바삭바삭한 겉면은 쌉싸름했지만, 부드러운 안쪽은 무척 달콤했다. 상반된 맛이 조화를 이루며 맛있게 어우러졌다.

엄마와 아빠도 마찬가지였다. 아빠는 재미있고 근심 걱정이 없는 반면, 엄마는 부지런하고 성실한 데다 책임감이 강했다. 이 반대되는 성격이 서로를 보완해 주면 최선의 결과를 끌어낼 수도 있을 텐데……. 아주 기가 막힌 짝이 될 수도 있지 않을까? 그런데 지금은 마시멜로가 너무 많이 탄 나머지, 꼬챙이에서 떨어져 불 속으로 빠져 버린 것과 같은 상황이었다.

저녁을 다 먹고 나서도 딱히 뒷정리할 게 없었다. 삼촌이 커다란 쓰레기봉투에 모조리 쓸어 담은 뒤 창고에다 휙 던져 버렸다. 그동안 아빠는 집 안에서 침낭과 휴대용 의자를 들고 나왔다. 우리가 야외에서 야구 경기를 볼 수 있도록 삼촌이 작은 텔레비전을 설치해 주었기 때문이다.

삼촌이 말했다.

"꼭 자동차 영화관 같지 않니?"

"네, 정말 그래요."

게다가 날도 그렇게 어둡지 않았다. 나는 누운 채로 야구 경기를 보았다. 야구 경기의 회가 거듭될수록 하늘이 진홍빛 노을로 물들어 갔다. 해가 저물어 가면서 집 주변이 황금빛으로 빛나기 시작했다.

하늘이 어두워지자 내 눈도 점점 무거워졌다. 여름이 빠르게 지나가고 있었다. 내 여름도, 내 인생도……. 잠결에 이런저런 생각이 스쳤다. 우리 가족은 다시 일어설 수 있을까? 아니면 다 타버린 마시멜로처럼 그냥 이렇게 영원히 살아가야 하는 걸까? 한숨이 비어져 나왔다. 그러다 어느 순간 스르르 잠이 들었다.

경고! 경고! 경고! 우린 지금 공격받고 있어.

디젤의 크고 날카로운 소리를 듣고 잠에서 깼다. 고개를 돌려보니, 디젤이 하얀색과 검은색 줄무늬가 있는 동물을 창고 쪽으로 몰고 있었다. 하악, 하고 할퀴는 듯한 소리가 들려서 처음에는 고양이인 줄 알았다.

나는 디젤에게 다급히 소리쳤다.

"디젤, 그냥 내버려 둬! 해치면 안 돼!"

하지만 눈을 가늘게 뜨고 보니, 고양이가 아니라 스컹크였다. 스컹크는 원래 겁 많고 소심한 동물이 아니던가? 그런데 녀석이 발을 쿵쿵 구르며 앞으로 돌진하고 있었다. 광견병에라도 걸린 것일까? 이번에는 디젤이 광견병에 걸린 스컹크에게 물려서 죽게 되는 건가?

나는 침낭에서 허둥지둥 빠져나온 뒤 디젤을 붙잡으려고 달려갔다. 그 순간, 스컹크가 몸을 홱 돌려 깃털 같은 꼬리를 위로 치켜들었다. 나는 잽싸게 몸을 피하며 소리쳤다.

"디젤!"

그와 동시에 코를 찌르는 악취가 공기 중으로 퍼져 나갔다. 개가 뀌는 방귀보다 백배는 더 지독했다. 아빠와 삼촌이 잠에서 깨어 헛구역질을 해 댔다. 스컹크는 곧 의기양양하게 어둠 속으로 사라졌다.

디젤이 길고 슬프게 울더니, 머리를 땅에 대고 앞발로 마구 비비기 시작했다. 그러다 아예 풀밭에 드러누워 온몸을 비벼 대며 필사적으로 발버둥을 쳤다.

"으윽, 냄새가 정말 고약하구나."

아빠가 주먹으로 코와 입을 가리면서 말했다.

"스컹크가 디젤한테 악취를 뿜었어요."

내가 말했다.

"아, 이런!"

"호스가 필요해."

삼촌이 소리를 지르며 수돗가로 달려갔다. 수도꼭지를 틀고 초록색의 긴 고무호스를 풀자, 아빠가 디젤의 목줄을 잡고 그쪽으로 끌고 갔다. 디젤은 마치 항의라도 하듯 깽깽 울었다.

"그래, 알았어, 디젤. 우선은 그 냄새를 없애야 해."

나는 디젤을 달래고는 삼촌을 향해 말했다.

"토마토 주스가 필요해요."

"그건 없어. 거기, 탁자에 있는 케첩이라도 써 봐."

디젤은 목줄에서 머리를 빼내려 안간힘을 썼다.

아빠가 디젤의 몸통을 두 팔로 꽉 안았다. 나도 얼른 달려가서 아빠를 도왔다. 디젤의 가슴팍에 난 하얀색 털에 누런색 물방울 같은 게 달라붙어 있었다.

"삼촌, 이쪽에 집중적으로 뿌려 주세요."

삼촌이 물의 세기를 최대한으로 올려서 흩뿌리자, 디젤뿐 아니라 아빠와 나한테도 물이 마구 튀었다. 삼촌이 호스를 잠깐 다른 방향으로 돌리며 말했다.

"이제 케첩을 뿌려 봐."

나는 디젤의 가슴 쪽에다 케첩을 흩뿌렸다. 디젤은 괴로운지 계속해서 낑낑거렸다.

"나오미, 손으로 문질러."

아빠가 디젤을 다시금 꽉 잡으며 말했다. 디젤의 가슴을 박박 문지르고 나니, 삼촌이 헹구려고 호스를 들이댔다. 그런데 디젤의 털에 물이 닿는 순간, 썩은 토마토와 탄 고무 냄새, 그리고 시럽으로 된 감기 약 냄새가 뒤섞인, 그야말로 세상에서 가장 고약한 냄새가 풍겼다.

"케첩이 부족하네. 스파게티 소스라도 가져와야겠어."

삼촌이 집 안으로 뛰어 들어가, 마늘과 고추가 들어간 스파게티 소스 통조림 두 개를 들고 나왔다. 아빠가 통조림 캔 하나를 디젤의 등에 들이부었다. 그러고는 다 함께 디젤의 몸을 마구 문질렀다. 이번에는 탄 라사냐 냄새가 났다. 그뿐만이 아니었다. 디젤의 몰골이 마치 안 좋은 사고를 당한 것처럼 처참하기 이를 데 없었다.

그때 삼촌이 말했다.

"나오미, 디젤의 목줄을 풀어."

나는 목줄을 풀어 창고 쪽으로 휙 던졌다.

"디젤, 가만히 있어."

내가 디젤의 목덜미를 잡으며 말하자 삼촌이 또다시 말했다.

"음, 이제 냄새가 별로 안 나는 것 같아."

"냄새에 익숙해져서 그래요."

나는 헛구역질을 하지 않으려고 입으로 숨을 내쉬었다. 삼촌은 수도꼭지를 잠그고서 내게 걸레를 건넸다.

"자, 이걸로 닦아 줘."

나는 디젤의 몸을 부드럽게 문지르며 물기를 털어냈다. 초콜릿색 털이 장밋빛으로 물들어 있었다. 가슴과 발의 하얀 털은 분홍빛이었다. 이제는 내 몸에서도 스컹크의 고약한 방귀 냄새가 났다.

나오미, 고마워.

디젤이 내 얼굴을 핥았다.

"이제 그만 집 안으로 들어가자. 하지만 재는 안 돼."

삼촌이 디젤을 가리키며 말했다. 그러자 아빠가 고개를 저었다.

"밖에 있다가 스컹크랑 또 한판 붙으라고? 디젤, 들어가자. 지하실에 자리를 만들어 줄게."

아빠가 디젤을 데리고 집으로 들어간 뒤 지하실로 내려갔다.

"아우우우!"

외로워!

디젤이 계속 울부짖었다. 나는 거실 소파에 누워 있다가, 디젤의 울음소리를 듣지 않으려고 쿠션으로 귀를 막았다. 하지만 디젤의 생각까지 막을 수는 없었다.

"아우우우!"

너무 외로워! 그리고 추워! 나오미, 제발 나한테 와 줘!

집 전체가 디젤의 몸에서 나는 악취로 가득했다. 나는 디젤과 자기 위해 소파에 있는 쿠션을 들고 지하실로 내려갔다.

디젤이 나를 보고는 반가워서 온몸을 흔들었다. 우웩! 스컹크 냄새가 여전히 내 콧구멍을 화끈거리게 했다. 심지어 눈물까지 찔끔 났다.

"디젤, 내가 이 냄새를 밤새 견딜 수 있을지 모르겠다."

나는 세탁기 옆에 있던 빨래 바구니를 뒤져 행주를 찾아낸 다음 마스크처럼 양쪽 귀에다 걸었다.

"그나마 좀 낫네."

그러고는 바닥에 쿠션을 깔고 드러누웠다. 디젤도 삼촌이 만들어 준 수건 침대에서 몇 바퀴 빙글빙글 돌더니 결국 자리를 잡고서 바닥에 엎드렸다.

나는 한숨을 푹 내쉬었다. 엄마가 여기 있었다면 뭐라고 했을지 상상만 해도 끔찍했다. 전부 아빠 탓으로 돌릴 게 뻔했다.

그래도 아빠와 삼촌이랑 있으면 재미있는 일이 많았다. 밖에서 요리를 하고 잠을 자다니! 정말이지 멋진 일이었다. 스컹크 사건도 일종의 양념 역할을 톡톡히 했다고나 할까?

스컹크가 뒤돌아서 디젤에게 냄새를 풍겼을 때, 그 악취를 맡고서 깬 아빠와 삼촌의 표정이 어찌나 웃기던지……. 지금 다시 떠올려 봐도 웃음이 새어 나왔다.

나는 디젤의 몸 위로 한쪽 팔을 올렸다. 디젤의 심장 박동 소리에 위안을 받으며 스르르 잠이 들었다.

6월 27일 일요일

냄새 제거 작전

아빠는 아침에 일어나 초콜릿 칩이 들어간 팬케이크를 만들어 주었다. 나는 팬케이크에 시럽을 잔뜩 부어 달콤함을 실컷 즐겼다. 그때 갑자기 전화벨이 울렸다.

"여보세요? 네, 오늘 오후요? 네, 알겠습니다. 가도록 하지요."

아빠는 이렇게 말하고는 전화기를 내려놓았다.

"오늘 수영 가르쳐 준다고 약속하셨잖아요!"

"여름은 아직 많이 남아 있어."

"아니에요! 건국 기념일 전까지 꼭 수영을 배워야 한다고요."

"나오미, 왜 그러니? 7월 1일이 뭐 그렇게 특별해서? 스쿨버스 운전 연습하느라 시간을 많이 뺏겼어. 네 엄마한테 돈을 조금이라도 더 갖다 주려면 추가 근무를 해야 한다고."

'그날 내가 물에 빠져 죽을 수도 있단 말이에요.'

나는 입술을 달싹이다가 그 말을 꿀꺽 삼켰다. 왠지 아빠한테는 수영을 배우지 못할 것 같았다. 아빠는 나한테 돈을 빌려 자동차에 주유를 한 뒤, 나와 디젤을 태우고 곧장 집으로 갔다.

디젤의 몸에 남아 있는 분홍색 얼룩을 제외하고는 스컹크 소동이 끝났다고 생각했다. 지독한 악취도 일상의 공기와 섞여서 그런지 희미해진 듯이 느껴졌다. 하지만 엄마는 아니었다.

디젤이 집으로 들어가자마자 고래고래 소리를 질렀다.

"세상에! 도대체 어디 있다가 온 거니?"

엄마는 눈물을 주르르 흘리면서 조리대에 놓인 휴지를 집어 들었다.

"어젯밤에 스컹크가 디젤을 공격했어요."

"네 아빠는 디젤을 씻기지도 않은 거니?"

"당연히 씻겼죠. 토마토가 들어간 소스란 소스는 다 사용해서요. 그 전에는 냄새가 얼마나 심했는지 엄마가 직접 맡아 봐야 이해하실걸요."

"으음, 아무리 그래도 한 번 더 씻겨야겠어."

안 돼!

디젤이 고통스런 표정으로 낑낑거렸다. 그러다 발톱으로 바닥을 마구 할퀴며 내 방으로 부리나케 달아났다. 그걸 보고 엄마가 전화기를 집어 들었다. 나는 엄마가 아빠한테 전화를 걸어서 이게 다 무슨 일이냐고 화를 내려는 줄 알았다. 그런데 그게 아니었다.

"동물 보호소에 전화하는 중이야. 어떻게 해야 하는지 물어보려고."

아빠가 전에 인터넷을 연결하자고 했을 때 그냥 그렇게 했다면……, 지금쯤 우리는 휴대폰이나 컴퓨터로 간단히 검색을 하고 있겠지? 오늘은 일요일이어서 상담사와 통화 연결을 하는 데 시간이 꽤 오래 걸렸다. 한참 만에 가까스로 상담사와 통화가 연결되자, 엄마는 몇 가지 내용을 메모한 뒤 전화를 끊었다.

"나오미, 과산화 수소 좀 가져올래?"

나는 엄마랑 이모가 미리 싸 둔 이삿짐 상자를 둘러보며 과산화 수소가 어디에 들어 있을지 가늠해 보았다.

"약장 맨 위 선반에 있어. 맨 마지막에 싸려고 남겨 뒀거든."

내가 과산화 수소를 찾아서 가져갔을 때, 엄마는 이미 플라스틱 통에 물을 채우고 있었다. 물에다 주방 세제와 베이킹 소다, 그리고 과산화 수소를 넣고 휘휘 젓자 과학 시간에 화학 실험을 할 때처럼 거품이 부글부글 끓어올랐다.

"이걸 디젤의 몸에 문지른 다음에 오 분 정도 두면 돼."

"이거, 안전한 거예요?"

"조금 따끔거릴 수 있대. 눈에 들어가지 않도록 조심해야지. 디젤 좀 데려올래?"

나는 고약한 냄새를 따라 내 방으로 들어갔다. 디젤은 침대 밑에 웅크린 채 머리를 앞발 위에 올려놓고 있었다.

안 나갈 거야!

"나와야 해!"

내가 디젤을 잡으려고 손을 뻗자, 안쪽으로 더 깊숙이 들어갔다. 나는 부엌에서 빗자루를 가져와 침대 밑으로 넣고는 디젤을 조금씩 바깥쪽으로 밀었다. 어느 순간 디젤이 침대 밖으로 후다닥 뛰쳐나갔다.

"엄마, 디젤 좀 잡아요!"

"목줄은 어디 있니?"

"버렸어요. 냄새가 너무 심하게 나서요."

그때 디젤이 발을 삐끗하면서 바닥에 미끄러졌다.

"이리 와!"

때마침 엄마가 디젤의 목덜미를 잡아채 욕실로 끌고 갔다. 우리는 힘을 합해 디젤을 들어 올린 뒤 욕조에 넣었다. 디젤은 욕조 밖으로 나가려고 안간힘을 썼다.

"그만, 그만!"

나는 디젤을 욕조로 밀어 넣으며 소리쳤다.

"디젤한테 이걸 붓고 문지르면 잠깐 동안 악취가 더 많이 날 거야. 디젤이 움직이지 않게 꽉 잡고 있어."

엄마는 손수 만든 스컹크 냄새 제거제를 디젤의 털에 조금씩 부으며 말했다.

"참, 엄마! 모건이 다음 주 화요일 밤에 자기네 집에서 파자마 파티를 하자고 했어요."

"모건이랑 별로 안 친한 줄 알았는데?"

엄마는 디젤의 털을 박박 문지르면서 의외라는 듯이 되물었다.

"그다지 나쁜 애 같지는 않아요."

그때 디젤이 욕조 안에서 이리저리 움직였다. 나도 엄마를 도와 디젤의 털을 손으로 조물조물 문질렀다. 그런데 갑자기 디젤의 어깨가 바르르 떨렸다.

따가운 거품을 털어 버려야겠어!

곧이어 어떤 일이 일어날지 충분히 짐작이 되었다. 나는 빠르게 소리쳤다.

"엄마, 눈 감아요!"

디젤이 온몸을 마구 흔들었다. 디젤의 몸에서 떨어져 나온 거품이 내 얼굴과 팔, 셔츠 등으로 사정없이 튀었다. 엄마와 내가 몸을 움츠리자, 디젤이 그 틈을 타서 순식간에 달아나 버렸다.

"잠시 그냥 둬. 타이머를 오 분으로 맞춰 놓을게."

엄마는 이렇게 말한 뒤, 욕실을 정리하기 시작했다.

나는 부엌으로 가서 비엔나소시지를 전자레인지에 데운 뒤 얇게 썰어서 접시에 담았다. 디젤은 그새 침대 밑으로 다시 들어가 있었다. 비엔나소시지로 디젤을 살살 유인했다.

너무 아파. 그 통에 든 물 싫어!

"미안해."

나는 침대 밑으로 팔을 최대한 뻗은 다음 디젤에게 간식을 주었다. 디젤은 한참을 낑낑대더니 드디어 내 손가락을 조심스레 핥았다. 그러고는 비엔나소시지 조각을 입에 물고 잘강잘강 씹었다. 나는 침대 앞에 엎드린 채로 디젤에게 비엔나소시지 조각을 조금씩 건넸다.

"나오미, 시간 다 됐어. 엄마가 가서 도와줄까?"

"아니요, 괜찮아요. 디젤, 가자. 몸에 묻은 거 닦아 내야지. 이제 헹구기만 하면 끝이야."

내가 몸을 일으키며 말하자, 침대 밑에서 머리가 쿵 부딪치는 소리가 났다. 디젤이 밖으로 나오고 있다는 신호였다.

디젤은 곧 내 뒤를 따라 슬금슬금 걸어서 아래층으로 내려갔다. 이번에는 난리를 치지 않아서 디젤을 욕조에 넣기가 한결 수월했다. 디젤이 겁에 잔뜩 질린 눈빛으로 나를 쳐다보았다.

무서워.

"그렇게 나쁘지 않을 거야. 약속해. 나도 그 안에 같이 들어가 있을게."

내 말에 엄마가 고개를 절레절레 흔들며 욕실 밖으로 나갔다.

나는 옷을 입은 채로 디젤이 있는 욕조 안으로 들어갔다. 그러고는 욕실 커튼을 친 다음 샤워기를 틀었다.

옷을 입고 물에 들어간 건 이번이 두 번째였다. 불현듯 그날 호숫가 부두에서 뛰어내렸던 기억이 떠올랐다. 나도 모르게 무릎이 바르르 떨렸다.

그땐 내가 없었잖아. 그리고 너는 믿지 않았지.

디젤의 목소리가 내 머릿속으로 불쑥 들어왔다.

'내가 대체 누구를 믿어야 했는데? 나 같은 건 안중에도 없던 그 애들?'

피자 소녀.

디젤이 대답했다. 나는 한숨을 푹 내쉬었다. 그때 모건이 나를 찾으려고 애썼다는 걸 알고는 있었다.

우리는 욕조에서 십 분 넘게 있었다. 샤워기를 틀어 놓고 털을 박박 문질러도 디젤은 제법 얌전히 있었다. 디젤의 몸에서 갈색 물이 쉼 없이 흘러나왔다. 그래서인가? 스컹크의 악취가 확실히 덜 나는 것 같았다.

6월 28일 월요일

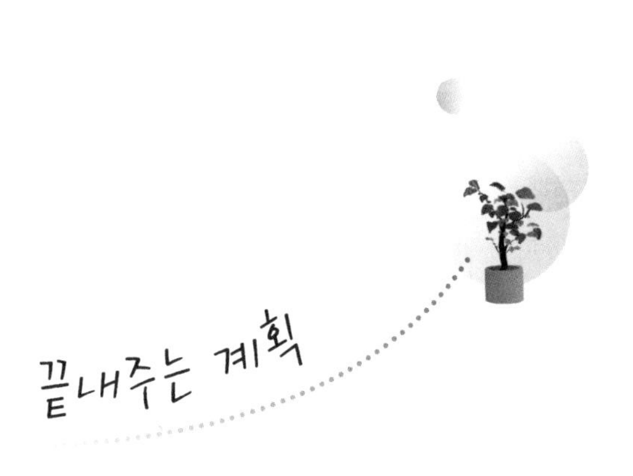

끝내주는 계획

디젤이 없던 지난 월요일에는 그저 침대에만 누워 있고 싶었다. 엄마가 나를 깨워 루앤을 돌보라며 이모네 집으로 보낼 때까지 일어나지 않았다.

하지만 오늘은 아침 일찍 모건이 우리 집으로 찾아왔다. 디젤이 꼬리를 어찌나 흔드는지 몸이 같이 흔들렸다.

모건이 가방을 어깨에서 내린 뒤 검지를 올리며 말했다.

"앉아."

그러자 디젤의 엉덩이가 순식간에 바닥으로 쿵 떨어졌다. 모건이 그 앞에 쪼그리고 앉더니, 디젤의 귀 뒤를 다정하게 쓰다듬으며 말했다.

"넌 정말 착하고 좋은 개야!"

기분이 좋은지, 디젤의 꼬리가 바닥을 싹싹 쓸었다.

'배신자.'

나는 디젤을 향해 고개를 절레절레 저었다. 그러자 디젤이 나를 힐끗 보았다. 마치 웃는 것처럼 입꼬리를 살짝 올리면서, 아까보다 더 흥분한 채로 일어나 꼬리를 이리저리 흔들었다.

"모건, 목줄은 가져왔어?"

모건이 가방에서 낡은 가죽끈을 꺼냈다. 그러고는 잠시 주저하는 기색을 보이며 얼굴을 찡그렸다.

"킹 물건 중에 남은 건 이것뿐이야."

"아, 미안."

디젤이 죽었을 때 얼마나 마음이 아팠는지 그때의 기억이 고스란히 되살아났다. 이제 남은 나흘 동안 디젤을 더 안전하게 지켜야 했다.

"새로 사면 바로 돌려줄게."

모건이 고개를 가로저었다.

"그냥 써도 돼. 나도 디젤이 좋거든."

모건이 디젤의 목에 목줄을 채웠다. 나는 모건을 어정쩡하게 안아 준 뒤, 어색하게 뒤로 물러나며 말했다.

"고마워."

그런데 그 순간, 모건이 이 뭉클한 순간을 전등 스위치마냥 툭 꺼 버리며 말했다.

"있잖아, 우리 쇼핑하러 가야 해."

나는 부엌으로 걸어가며 받아쳤다.

"안 돼! 수영부터 배워야지. 그리고 지금은 일단 아침을 먹어야 해."

수영? 수영하러 가는 거야?

디젤이 머릿속으로 물었다.

"나중에!"

나는 디젤에게 입 밖으로 소리 내어 대답했다.

모건이 갑자기 주변을 둘러보며 물었다.

"너희 엄마는?"

"이모 집에. 일하러 가는 길에 들러서 뭐 좀 갖다 준다고 아침 일찍 나가셨어. 그건 그렇고, 우리 엄마랑 아빠한테도 로맨틱한 시간을 좀 만들어 주려고 하거든?"

"내가 말했잖아, 그거 하나도 효과 없다고. 너희 아빠가 직접 아이디어를 내신 게 아니라면 더더욱 그렇지."

나는 팔짱을 끼며 골똘히 생각에 잠겼다가 대꾸했다.

"그래, 맞아. 그래도 한번 해 보고 싶어. 내가 너희 집에 가기로 한 화요일 밤에……."

"그래, 알았어. 그날 너희 아빠는 로맨틱하시겠지. 네가 알아서 다 준비할 테니까. 그러고는 다음 날 다시 예전처럼 너희 엄마랑 데면데면한 관계가 되실걸. 머릿속에선 늘 계획한 일이 뜻대로 잘 돌아갈 것만 같아. 마치 그렇게 될 운명이었던 것처럼!"

그렇게 될 운명이었던 것처럼? 모건의 말에 내 안의 무언가가 얼어붙었다.

'운명이었던 것 같은 게 또 뭐가 있지?'

나는 손목시계를 힐끗 보았다. 여전히 같은 시각을 가리키고 있었다.

"어쨌든 너는 새 수영복이 있어야 해."

"나도 알아. 하지만 돈이 없는걸."

내가 식탁 앞에 앉자, 모건이 맞은편에 있는 의자를 꺼냈다. 그러고는 대뜸 이렇게 말했다.

"와, 이 머핀 좀 봐! 진짜 맛있는걸. 나는 집에서 이렇게 맛난 걸 먹어 본 적이 없어."

모건이 크랜베리 머핀을 한 입 베어 물었다. 진지하게 맛을 음미하듯 꽤 오랫동안 씹었다.

"음, 약간 퍽퍽하네. 혹시 우유 있니?"

"엄마가 직장에서 유통 기한 지난 것들을 가져와서 그래."

나는 자리에서 일어나 냉장고에서 우유를 꺼낸 뒤 유리컵에 따랐다.

모건이 어깨를 으쓱하며 말했다.

"그래도 맛있어."

모건은 몇 입 더 먹고 나서 우유로 목을 축였다.

"쇼핑몰에 갈 때 그 꼬맹이도 데려가야 하나?"

"아마 그래야겠지. 하지만 신경 쓰지 마. 돈이 없는데 수영복을 어떻게 사?"

모건이 머핀을 오물오물 씹으며 말했다.

"네 대학 등록금."

나는 실눈을 뜨고 모건을 노려보았다.

"그렇게 쳐다보지 마. 이건 네 미래를 위한 투자라고, 네 행복을 위한 투자……. 어쩌다 보니까 말이야, 고등학교 인싸 여자애들을 얼마 전에 우리가 갔던 그 수영장으로 초대하게 된 거 있지? 바로 내일 밤에 말이야."

모건이 이를 훤히 드러내며 웃었다.

"뭐라고? 누가 오는데?"

"타라, 프란체스카, 브레나, 수링. 다들 좋다고 했어!"

모건이 꺄약, 하고 소리를 질렀다. 전혀 모건답지 않은 모습이었다.

내가 물에 빠져 죽어 갈 때 전혀 눈치를 채지 못했던 아이들이었다. 나는 이맛살을 찌푸렸다. 이와 이 사이에 모래가 박힌 것처럼 뭔가 자꾸 신경에 거슬렸다.

"삼촌한테 허락은 받은 거야?"

"당연하지. 그래 봐야 몇 명 되지도 않는걸. 잘 생각해 봐. 그 멋진 여자애들이랑 친해지면 우리의 고등학교 생활이 얼마나 근사하게 흘러갈지를 말이야."

나는 잠시 멈춰 서서, 그 아이들과 친구가 되는 상상을 해 보았다. 만약 그 아이들이 내게 관심을 둔다면, 부두에서 또 물에 빠진다 해도 지난번보다는 안전해지겠지? 친구가 물에 빠지는 걸 가만히 두고 보지는 않을 테니까.

내 안에서 마치 탄산음료처럼 설렘이 톡톡 튀어올랐다. 체육 시간에 다른 아이들이 나한테 공을 세게 던지거나, 나를 난쟁이 혹은 땅콩이라고 부를 때, 그 아이들이 내 편을 들어줄 수도 있을 터였다. 그때까지 내가 무사히 살아만 있다면 말이다.

나는 한숨을 휴 내쉬었다. 모건이 마지막 머핀 조각을 입에 쏙 넣으며 조심스레 물었다.

"혹시 말이야, 너희 엄마가 파티에서 먹을 도넛을 좀 챙겨다 주실 수 있을까?"

"파티? 몇 명 안 된다며? 그리고 우리 엄마가 나를 거기에 보내 주실 거라고 기대하지 마. 어른이 없으면 안 된다고 하실 게 뻔하거든."

"이게 얼마나 완벽한 계획인데! 어차피 너희 엄마한테 내일 우리 집에서 파자마 파티를 한다고 말씀드렸을 거 아냐? 그러면 아마도 끝까지 모르실 거야."

"하지만 나는 수영하는 법을 배워야 해. 시간이 얼마 안 남았다고. 그래서 오늘 쇼핑하러 갈 수 없어."

"이때껏 관심도 안 두고 있다가, 왜 이제 와서 수영을 빨리 배워야 한다는 건데? 수영 연습은 내일 아침 일찍 가서 하면 되지. 그리고 또 누가 알겠어? 새로 산 수영복이 너한테 돌파구가 되어줄지."

새로 산 수영복이라……. 입술이 저절로 오므라들었다. 나에게 저축은 우리 가족이 흩어지지 않도록 막아 주는 보호 장치 같은 거였다. 아빠가 초대형 텔레비전을 사겠다고 돈을 그렇게 많이 쓰지만 않았다면, 엄마와 아빠는 지금도 여전히 한집에서 살고 있을지도 몰랐다.

어쨌거나 지금 내게 의대는 머나먼 일처럼 아득하게 느껴졌고, 내 수영복은 내가 보기에도 너무 낡고 촌스러웠다. 그런 수영복을 입은 모습을 그 여자애들에게 보이고 싶지 않았다.

"그래, 좋아. 내 통장에서 돈을 좀 찾지, 뭐."

이렇게 말을 내뱉고 나서 속으로 깜짝 놀랐다. 사실은 지금 한낱 돈이 문제가 아니었다. 디젤과 내가 앞으로 나흘 동안 무사히 살아남는 것! 그게 가장 중요한 일이었다.

"음, 얼마나 필요할까?"

"아, 수영복 말이구나. 20, 30? 음……, 최대 40달러. 쇼핑몰에서 할인 판매를 하고 있거든. 체크 카드만 챙겨 가면 돼."

모건이 미소를 함빡 지었다.

"나는 현금만 써. 그래야 예산 내에서 돈을 쓸 수 있거든."

"뭐, 아무튼 가자!"

내가 위층으로 올라가 속옷 서랍에서 체크 카드를 가지고 나오는 동안, 모건은 아래층에서 얌전히 얌전히 기다렸다. 아래층으로 내려가며 체크 카드를 지갑에 넣다가 무심코 손목시계를 보았다. 나도 모르게 얼굴이 찡그려졌다.

"왜, 더 중요한 일이 있어?"

모건이 걱정스레 물었다. 나는 고개를 흔들었다.
"시계가 계속 같은 날짜와 시각을 나타내고 있어. 7월 1일, 목요일, 4시 30분."
"그게 뭐? 무슨 상관이야? 그리고 솔직히 말해서, 요즘 누가 그런 시계를 차고 다니니?"
"우리 아빠가 선물해 주신 거야."
"그럼 배터리를 새 걸로 갈아!"
"내가 물에 빠져 죽는 꿈을 꿨다고 얘기한 적 있지?"
"미래를 예측한다는 꿈?"
나는 시계를 손가락으로 톡톡 쳤다.
"응, 이게 바로 내가 죽은 그 시각이야."
모건이 입을 쩍 벌리고서 나를 빤히 쳐다보았다. 그 순간만큼은 모건이 나를 믿고 이해하는 것 같았다. 어쩌면 모건이 마음을 바꿔 약속한 대로 수영 연습을 하러 가자고 말할지도 모른다는 생각이 들었다.
하지만 모건은 고개를 절레절레 흔들며 이렇게 말했다.
"내가 말했지? 자기 전에 단거 먹지 말라고."

아침을 먹고 난 뒤, 디젤을 데리고 지하실로 내려가 텔레비전을 켜고 〈슈퍼 독〉 결승전을 틀어 주었다. 그런 다음, 커다란 그릇에 물을 가득 담아 주었다. 목이 말라서 계단을 올라갈 일이 없도록 하기 위해서였다. 뒷마당에 아무것도 없이 디젤만 덜렁 두고 나왔던 지난번과는 다르게 하고 싶었다.

"디젤, 쇼핑몰에 가야 하는데 아쉽게도 개는 그 안에 들어갈 수가 없어."

"아우우우!"

디젤이 슬픈 목소리로 짖고는 체념한 듯 바닥에 엎드렸다.

나는 무릎을 꿇고 디젤을 쓰다듬으며 말했다.

"미안해, 디젤."

외로워.

디젤의 갈색 눈에 슬픔이 가득해 보였다.

"대신 간식 줄게."

좋아!

디젤이 꼬리를 바닥에 쿵쿵 내리쳤다. 나는 어제 남겨 두었던 비엔나소시지 조각을 주머니에서 꺼내 디젤에게 주었다. 디젤은 그것을 꿀꺽 삼킨 뒤 만족스러운 표정을 지었다.

나는 디젤을 한 번 더 쓰다듬어 주고 나서, 모건과 함께 루앤을 태운 유모차를 끌고 집을 나섰다.

버스 정류장에 버스가 도착했을 때는 루앤이 깊게 잠들어 있었다. 우리는 버스를 타고 얼마쯤 가다가 쇼핑몰 근처 정류장에서 내렸다. 나는 모건과 함께 유모차를 밀며 은행으로 향했다. 현금 인출기에서 돈을 찾아 세는데, 괜스레 손가락이 자꾸 떨렸다.

그걸 보고 모건이 물었다.

"왜 그래?"

"의대에 가려면 이 돈이 꼭 필요해. 우리 부모님은 지금 집세도 못내실 형편이고."

나는 손목시계를 물끄러미 내려다보았다. 내가 무사히 살아서 의대에 갈 수는 있을까?

모건이 내 머리를 토닥이며 말했다.

"너는 머리가 좋잖아. 장학금을 받을 수 있을 거야."

모건의 말에 짜증이 훅 치밀었다. 나는 모건의 손을 피하기 위해 머리를 옆으로 뺐다. 의대에 갈 수 있을지조차 모르는데……, 장학금이라니!

하지만 수영복 문제에서만큼은 모건의 말이 맞았다. 인어 공주 수영복을 입고 그 여자애들 앞에 나설 수는 없었다. 쇼핑몰 쪽으로 천천히 발걸음을 옮겼다.

쇼핑몰에 발을 들여놓는 순간, 에어컨의 시원한 바람이 우리 몸을 휘감았다. 홀에는 할인 판매를 하는 의류들이 옷걸이에 걸린 채 죽 늘어서 있었다. 사람들이 그쪽으로 우르르 몰려가 상품을 이리저리 뒤적였다.

"이코노 마트 쪽으로 가자. 캐시 이모는 거기서 물건을 싸게 사거든."

나는 모건의 대답을 기다리지도 않고 유모차를 그쪽으로 돌렸다. 그러고서 곧장 이코노마트의 아동복 코너로 향했다.

모건이 고개를 갸우뚱거리며 물었다.

"어디로 가는 거야? 여성용은 저쪽에 있어."

"내 사이즈는 거기에 없을 거야."

그러자 모건이 딸기색과 바나나색 수영복이 걸려 있는 곳으로 어기적어기적 따라왔다. 디즈니 공주와 퍼피 구조대가 그려진 수영복도 있었다.

"이건 어때?"

나는 할인 폭이 매우 큰 노란색 수영복을 집어 들었다. 파란색 쿠키 몬스터가 가슴 한가운데에서 웃고 있었다.

"어린이용 캐릭터가 그려진 옷은 안 돼."

모건이 내게서 유모차를 휙 빼앗더니, 여성용 코너로 빠르게 걸어갔다. 나는 어쩔 수 없이 수영복을 내려놓고 그쪽으로 황급히 따라갔다.

진열된 상품을 쭉 훑어보았다. '40% 할인'이란 표시가 내 시선을 가장 먼저 잡아끌었다. 나는 스포츠 브라 스타일의 상의와 수영복 치마, 그리고 하의가 걸려 있는 행거를 뒤적였다.

이 정도면 입을 만하다 싶었다. 그것 말고도 지퍼가 달린 검은색 스판덱스 반바지와 파란색 데님 반바지, 호피 무늬 상의를 살폈다. 그런데 사이즈가 전부 다 컸다.

"너무 커, 너무 크다고."

나는 수영복을 원래 자리로 걸어 넣으며 모건에게 투덜거렸다.

"네 사이즈가 얼마인데?"

"글쎄, 아마도 XXXS쯤 될까?"

"세상에, 어떻게 그렇듯 작을 수가 있어?"

모건이 뒤로 한발 물러서며 양손을 위로 올렸다. 사실 나는 아주 오랫동안 그렇게 작고 아무것도 아닌 존재였다. 모건과 시몬이 부르는 것처럼……, 그냥 땅콩이었다.

“비키니 아일랜드로 가자.”

“거기, 비싼 브랜드 아니야?”

“할인 판매할 때는 그렇게 비싸지 않아.”

“알았어.”

우리는 쇼핑몰 중앙에 투명한 벽으로 둘러싸인 엘리베이터로 향했다. 엘리베이터에 타자마자 타라와 프란체스카, 브레나, 수링이 갑자기 나타나 키득거리며 안으로 들어섰다.

그 아이들은 저마다 쇼핑백을 두어 개씩 들고서 뾰족하고 윤기 나는 손톱으로 속눈썹을 쓸어 올렸다. 정말이지 다들 믿을 수 없을 정도로 예뻤다. 그 아이들의 웃음소리와 향수 냄새가 이 엘리베이터를 가득 채웠다.

수링이 고개를 까딱하며 내게 미소를 지었다. 야호, 수링이 나를 알아본 거다! 나도 살며시 미소를 지어 보였다.

“내일 밤 파티가 정말 기대돼. 또 누가 오니?”

프란체스카가 모건에게 물었다.

“아, 그건 비밀이야. 아마도 깜짝 놀랄걸.”

모건이 자랑스러운 목소리로 대답했다. 나는 눈을 가늘게 뜨고 모건을 쳐다보았다. 그러자 모건이 내게 슬쩍 윙크를 했다.

프란체스카가 웃자 다른 아이들도 따라 웃었다. 눈앞에서 보고도 믿을 수가 없었다. 다들 저 아이들처럼 되고 싶어 했다. 아니면 적어도 저 아이들과 가까워지거나.

그런데 그걸 모건이 해냈다. 우리는 이제 고등학교에 갈 준비를 모두 마쳤다. 디젤과 내가 이 여름 동안 무사히 살아남기만 한다면 말이다.

엘리베이터가 멈추고 문이 열리자, 그 애들이 손을 살짝 흔들며 먼저 내렸다. 순식간에 주변이 조용해졌다. 그런데 그때 하필 루앤이 잠에서 깨어 울기 시작했다. 자다가 깨서 기분이 매우 언짢은 모양이었다.

우리는 건물 끝에 있는 매장으로 빠르게 걸어갔다. 문 양쪽으로 거대한 초록색 야자수가 하나씩 서 있는 게 보였다. 비키니 아일랜드가 우리를 부르고 있었다.

비키니 아일랜드에 다다르자 루앤의 울음소리가 더 커졌다. 사람들이 흘끔흘끔 우리를 쳐다보았다. 모건이 난처한 표정으로 물었다.

"어떻게 해야 하지?"

"뭔가 갖고 놀 만한 걸 줘야 해."

나는 가방 속을 더듬어 열쇠 꾸러미를 꺼낸 뒤 루앤의 손에 쥐여 주었다. 루앤은 찰그랑찰그랑 몇 번 흔들고는 바닥으로 휙 던져 버렸다. 나는 열쇠를 주우러 허겁지겁 달려갔다.

"우아! 아기야, 왜 그러니?"

코에 모조 다이아몬드를 박은 여자 점원이 계산대 뒤에서 나와 루앤에게 말을 걸었다. 반짝이는 것을 좋아하는 루앤은 울다 말고 점원의 코를 빤히 쳐다보았다.

"사탕 하나 줘도 되나?"

나는 얼른 고개를 끄덕였다. 점원은 초록색 막대 사탕의 포장을 벗겨 루앤에게 내밀었다. 루앤은 사탕 쪽으로 손을 길게 뻗으며 엉덩이를 연방 들썩였다.

혹시나 루앤이 사탕을 먹다가 질식하지는 않겠지? 그렇다고 저걸 뺏으면 흥분해서 난리가 날 텐데. 그러면 루앤의 심장에도 좋지 않을 것이다. 흠, 우리가 쇼핑하는 데도…….

이윽고 루앤이 마법에 빠진 것처럼 얌전해졌다.

모건이 점원에게 물었다.

"아주, 아주, 아주 작은 수영복을 찾고 있는데 도와주실 수 있을까요?"

나는 어깨를 으쓱하며 덧붙였다.

"제 사이즈를 정확히 모르겠어요."

점원이 코에 있는 모조 다이아몬드를 톡톡 두드리며 말했다.

"일단 치수를 한번 재 보자."

그러고는 주머니에서 줄자를 꺼내 내 엉덩이에 둘렀다. 곧이어 혀를 끌끌 차더니 고개를 절레절레 흔들었다.

"진짜 작죠, 그렇죠?"

모건이 말했다.

"아직 한창 자라는 중이라서 그럴 거야."

이번에는 점원이 줄자를 내 가슴 아래쪽에 감았다. 나는 가능한 한 가슴을 부풀려 보려고 숨을 크게 들이마셨지만, 점원은 별다른 반응을 보이지 않았다.

"정말 사이즈가 작구나? 끈이 있으니까 걱정하지 않아도 돼. 꽉 조이면 흘러내리진 않을 거야."

나는 그나마 안심이 되어서 미소를 지었다.

"이렇게 작은 사이즈는 재고가 많지 않아. 어디 한번 확인해 보자."

점원은 태그를 확인하면서 비키니를 하나씩 뒤로 밀어냈다.

"아니, 아니, 아니. 음, 음, 음."

점원의 입술이 일직선으로 다물어졌다. 그러다 태그가 없는 빨간색 비키니 앞에서 잠시 멈칫하더니, 옷을 뒤집어 라벨을 확인했다.

"여기 있다! 마침 지금 40% 할인 중이야."

점원이 의기양양하게 수영복을 내게 건네며 말했다.

나는 노을처럼 붉은 천 조각을 가만히 바라보았다.

"한번 입어 봐."

모건이 나를 탈의실로 밀었다.

나는 탈의실로 들어가 반바지를 벗고 수영복 하의를 입었다. 그런 다음 끈이 주렁주렁 달린 삼각형 두 개를 가슴에 댄 뒤, 목 뒤에서 끈으로 묶어 조였다.

거울을 보니, 제법 괜찮아 보였다. 그런데 가슴 뒤쪽 끈은 어떻게 묶지?

"어떻니?"

문밖에서 점원이 소리쳤다.

"모건! 좀 도와줘!"

나는 손을 뒤로 뻗어 가슴 뒤쪽 끈을 꽉 잡은 채 문을 아주 조금 열었다.

"자, 내가 도와줄게."

점원이 잽싸게 등 뒤에서 끈을 묶어 주며 말을 이었다.

"잘 어울리네. 이런 상의를 입으면 가슴이 납작한 사람도 꽤 멋지게 보이지."

어느새 모건이 끼어들었다.

"너도 네가 멋진 걸 알고 있지?"

순간, 마음이 울컥해지면서 모건을 꽉 껴안아 주고 싶은 충동이 일었다.

"그런데 왜 옷을 혼자서 입을 수 없게 만드는지 모르겠어."

모건이 투덜거렸다.

"색깔이 너한테 아주 딱이네. 치수도 잘 맞고."

점원은 모건의 말을 못 들은 척하고서 내게 말했다. 모건은 끊임없이 말을 이었다.

"이걸로 해. 잘 어울리네."

나는 탈의실로 들어가 다시 옷을 갈아입었다. 그러고는 밖으로 나와 비키니를 들고 계산대로 갔다.

"얼마예요?"

"태그가 없어서……, 잠깐만 확인해 볼게. 음, 120달러네. 여기서 40% 할인을 하면……."

"72달러요."

점원이 계산기를 두드리는 사이, 내가 먼저 계산을 마치고 가격을 말했다. 흠, 신축성 있는 빨간색 천 조각 두 개가 이렇게 비싸다니!

"죄송해요, 60달러밖에 없어요."

나는 이렇게 말하고는 재빨리 유모차를 밀며 출구 쪽으로 걸어갔다. 그러자 모건이 뒤에서 목소리를 낮추어 소리쳤다.

"너, 저 비키니 사야 해."

"최대 40달러라며?"

나도 덩달아 조그만 목소리로 외쳤다.

"그래서? 나라면 다시 가서 가져올 거야."

루앤이 다 먹은 사탕 막대기를 흔들며 또다시 징징대었다.

"설마 훔치자는 건 아니지?"

이번에는 짐짓 큰 소리로 말했다. 목소리가 너무 컸던 걸까? 루앤의 울음소리에 묻혀 모건이 듣지 못할까 봐 그랬는데, 사람들이 뜨악한 표정으로 일제히 우리를 쳐다보았다.

"방금 뭐라고 한 거야?"

모건이 소리를 꽥 질렀다.

"들었잖아."

모건의 까뭇까뭇한 얼굴이 금세 하얗게 질렸다.

"내가 왜……, 훔쳐?"

나는 목소리를 낮춰 말했다.

"지난번 편의점에서……."

"세상에! 나는 돈을 내고 물건을 가져와. 그냥 가져온 적은 없어."

모건이 한껏 억울한 표정으로 말했다. 그러는 사이에 루앤은 점점 더 보챘다. 루앤을 달래기 위해 나는 가방에 손을 넣어 더듬거리며 주스 팩을 찾았다.

"쉿, 쉿. 루앤, 맛있는 주스 마실래?"

모건이 20달러짜리 지폐 두 장을 내게 내밀었다.

"루치 삼촌이 주셨어. 삼촌이 관리하는 수영장 중 하나를 청소해 줘서 고맙다고."

"그 돈을 나한테 빌려주겠다고?"

내가 주스 팩에 빨대를 꽂자, 루앤이 숨을 크게 들이마시며 차츰 얌전해졌다.

"고등학교에 가면 제발 어린애들처럼 입고 다니지 마."

나는 몸을 구부려 루앤의 손에 주스를 쥐여 주었다.

"자, 어떻게 할래? 인어 공주? 아니면 전부 끝장내 버릴 그 빨간색?"

모건이 그 돈을 다시 내 쪽으로 내밀며 말했다. '전부 끝장내 버릴'이라고? 나는 돈을 도로 밀어냈다.

"고맙지만, 사양할게."

"아, 참! 답답하네!"

모건이 다시 한번 돈을 내 쪽으로 내밀었다.

"아니, 괜찮다니까. 루앤 데리고 푸드 코트에 좀 가 있어. 나는 그 매장에 가 볼게."

나는 비키니 매장을 힐끗 돌아보며 말했다. 그러고는 숨을 한 번 크게 들이마셨다.

"내 체크 카드로 사지, 뭐."

"우아아아! 나오미, 절대로 후회하지 않을 거야! 그 멋진 여자애들이랑 곧 절친이 될 거라고!"

나는 손목시계를 내려다보았다. 여전히 '7월 1일, 목요일, 4시 30분'이었다. 몸이 설핏 떨렸다. 정확히 이 시각에 나는 물속으로 뛰어들었다. 그 여자애들이 주위에 있었건만…….

하지만 이제 모두들 내 존재를 알게 될 테니까, 지난번과 달리 주의 깊게 지켜보겠지? 모든 것이 잘될 거다.

나는 푸드 코트 쪽으로 막 돌아서는 모건을 불러 세웠다.

"모건, 이따가 시계점에 들러서 배터리 좀 교체하고 가자."

시계점에 들러 확인해 보니, 배터리에는 딱히 문제가 없다고 했다. 하지만 여전히 숫자는 바뀌지 않았다. 디젤은 '우리의 생명 카운터'라고 불렀다. 디젤이 나를 구하면 시계가 다시 작동할 거라고.

어쨌거나 나는 두 번 다시 그 어떤 부두에서 뛰어내릴 생각이 없었다. 그러니 디젤이 나를 구할 일도 없을 터였다. 그렇다면 이

시계를 버려도 상관이 없다.

하지만 차마 그럴 수가 없었다. 이상하게도 내 생명의 보호 장치 같은 느낌이 들었다. 아빠를 위한 행운의 부적 같기도 했다. 며칠 있으면 다시 정확한 시각을 알려 줄 것이다. 나는 시계를 계속 차고 있기로 했다.

어쨌든 오늘은 아주 멋진 날이었다. 난생처음으로 나한테 딱 맞는 수영복을 찾아냈기 때문이다. 이제 수영을 제대로 배울 수 있을지도 모르겠다는, 매우 희망적인 생각이 머릿속으로 파고들었다.

6월 29일 화요일

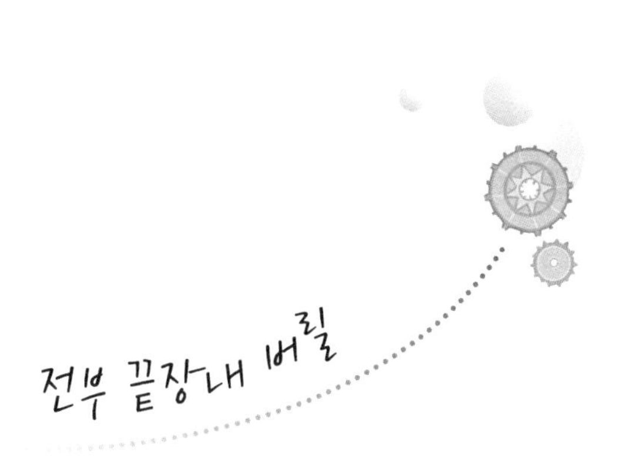

그날 저녁, 엄마가 지난번 월요일과 똑같이 슈퍼마켓에서 로스트 치킨을 사 왔다. 빵과 감자튀김, 양배추 샐러드까지 모두 한 세트였다.

"피크닉 세트야."

엄마가 말했다. 특가로 샀기 때문에 집에서 직접 만드는 것보다 훨씬 더 저렴하다나. 엄마는 곧 식탁에 음식을 차리기 시작했다. 케첩, 소금, 식초……. 엄마는 식재료의 이름을 하나하나 부르며 콧노래를 흥얼거렸다.

여느 때와 달리, 뭔가 기분이 좋아 보였다. 단순히 더위 속에서 요리를 하지 않아도 되는 게 기뻐서 그런지도 모르지만.

그때 초인종이 울렸다.

"왈! 왈!"

디젤이 꼬리를 세차게 흔들며 문 쪽으로 달려갔다. 아빠가 양쪽 겨드랑이에 빈 상자를 끼우고서 집 안으로 들어왔다. 지난번에는 없었던 일이었다.

아빠가 복도에 서서 외쳤다.

"책 싸러 왔어. 그게 제일 무겁잖아."

엄마가 한쪽 눈썹을 치켜올렸다.

"이렇게 불쑥?"

나는 엄마의 말뜻을 재깍 알아차렸다. '오기 전에 전화했어야지.'라는 뜻이었다.

"엄마, 아빠 좀 그만 몰아붙여요."

엄마한테 낮은 목소리로 부탁하듯이 말했다. 그러자 엄마가 복도로 걸어 나갔다.

디젤이 반가운 듯 꼬리를 흔들며 아빠에게 달려갔다.

"왈!"

아빠가 상자를 잠시 바닥에 내려놓더니, 두 손으로 디젤의 머리를 잡고서 뺨과 귀를 긁어 주었다. 그러고는 엄마를 올려다보며 말했다.

"상자에 책을 담아서 캐시네 집으로 옮겨 놓을까?"

엄마가 가라앉은 목소리로 대답했다.

"아니, 그럴 필요 없어. 책을 놓을 공간이 없다고 했거든. 재활용 센터에 갖다 주면 돼."

"뭐라고? 그건 안 되지! 그럼 일단 레오네 집으로 책을 가져다 놓을게. 우리가 새집을 구할 때까지 보관하고 있어야지."

아빠 말에 엄마가 슬며시 미소를 지었다. 모건이 틀렸다. 우리 엄마와 아빠는 책을 좋아했고, 둘은 서로 함께할 운명이 분명했다.

나는 엄마 모르게 슬쩍 아빠에게 눈짓을 했다.

이윽고 아빠가 입을 열었다.

"내일 밤에 말이야, 〈셰이프 오브 워터 : 사랑의 모양〉을 볼까 하거든. 최우수 작품상을 받았는데, 당신이 보고 싶다고 했던 게 기억이 나서. 음, 레오네 집은 텔레비전이 잘 안 나와서 말이야. 저기, 그래서 말인데……, 여기서 둘이 같이 볼까?"

아빠가 고개를 돌려 내게 윙크했다.

"글쎄, 잘 모르겠네. 짐도 아직 싸야 할 게 많은 데다 시간도 별로 없어서."

"같이하면 되지, 영화 보고 나서."

"좋아."

"그래, 알았어. 이제 방해 안 할게."

아빠가 이렇게 말하며 거실의 책장 앞으로 걸어갔다.

시간이 얼마나 지났을까? 아빠가 책으로 꽉 채운 상자를 들고 돌아왔다.

"우선 이것만 먼저 차에 실어다 놓고 올게."

"제임스, 저녁 먹고 가."

엄마가 고개를 돌리지도 않고서 퉁명스럽게 말했다. 그러자 아빠가 상자를 바닥에 내려놓고는 머쓱한 표정을 지으며 눈썹을 긁적였다.

엄마가 덧붙였다.

"음식이 많이 남을 것 같아서 그래. 접시랑 수저만 가져오면 돼."

아빠가 잠시 머뭇거리더니 미소를 지으며 대답했다.

"고마워. 이것만 차에다 실어 놓은 다음에 손 씻고 올게."

아빠의 이는 유난히도 하얘서, 활짝 웃을 때면 주변을 온통 환하게 밝혀 주었다. 아빠는 휘파람을 불며 경쾌한 걸음걸이로 밖으로 나갔다. 〈마이 걸〉이라는 노래인 것 같았다. 엄마도 나직이 그 노래를 따라 불렀다.

금세 아빠가 다시 돌아왔다. 아빠는 키가 하도 커서 머리가 문틀에 거의 닿을 지경이었다. 내가 아빠 키를 물려받았다면 참 좋았을 뻔했다.

아빠는 접시와 수저를 들고 내 맞은편에 앉았다. 엄마가 아빠 접시에 치킨과 양배추 샐러드를 덜어 주었다. 그러고는 내게 말했다.

"자, 식기 전에 얼른 먹어."

나는 바삭하고 짭짤한 치킨의 껍질을 한 입 베어 물었다. 지난번에는 아무것도 먹지 못했다.

"음, 음, 이렇게 우리 가족이 모여서 식사하기를 내가 얼마나 바랐는지 몰라. 샐러드는 당신이 만든 게 훨씬 더 낫지만."

아빠 말에 엄마의 왼쪽 눈썹이 위로 올라갔다.

"그래? 나는 싫어하는 줄 알았는데. 샐러드에 브로콜리를 너무 많이 넣어서."

그러자 아빠가 엄마 쪽으로 몸을 기울이며 강아지 같은 눈빛을 보냈다.

"정말? 내가 요즘 브로콜리를 얼마나 그리워하고 있는데."

아빠가 엄마 손을 슬그머니 잡았다. 하지만 엄마는 아빠 손을 홱 뿌리쳤다.

"행여나 그리워하겠다."

엄마가 빈정거리듯 말했다. 하지만 아빠는 엄마의 샐러드를 그리워하고 있는 게 틀림없었다. 나는 일회용 종이 접시에 비엔나 소시지만 덜렁 담겨 있던 걸 떠올렸다.

그때 전화벨이 요란하게 울렸다. 그런데 우리 집엔 엄마가 만든 규칙이 있었다. 식사 중에서는 절대로 전화를 받지 않는 것!

"우리한테 뭔가 팔려는 사람이겠지."

엄마가 말했다. 전화벨이 한동안 집요하게 계속 울렸다. 아빠가 포크로 치킨을 푹 찌르더니, 전화기를 향해 마구 흔들며 투덜거렸다.

"저 사람이 뭘 파는지는 몰라도 우리가 그 물건을 살 형편은 결코 안 될 거야."

그 말에 엄마가 입을 앙다물고 얼굴을 찌푸렸다. 그와 동시에 전화벨 소리가 뚝 멈췄다.

"그건 그렇고 도넛 타임에 일이 너무 많아. 오늘 오후에 자동차 줄이 얼마나 길게 늘어섰는지 당신도 한번 봐야 했는데."

"다들 차에서 내려 매장에 그냥 들어가 주문하면 얼마나 좋아? 사람 얼굴을 보는 시간도 좀 가져야지."

아빠가 또다시 엄마 의견에 동의했다. 일이 꽤 잘 풀리고 있는 것 같았다. 마음 한켠에서는 엄마가 아빠한테 구직 활동이 어떻게 되고 있는지 물을까 봐 겁이 났다. 그래서 얼른 대화 주제를 바꿨다.

"치킨이 정말 촉촉하고 맛있어요."

나는 접시에 있던 마지막 조각을 입에 넣은 뒤 쟁반에서 더 덜어 왔다.

"와, 잘 먹네. 우리 딸, 식욕이 늘었구나. 키가 크려나 보다."

아빠가 식탁을 가로질러 내 머리칼을 헝클어뜨리며 말했다. 나는 어깨를 으쓱했다.

"제발 그랬으면 좋겠네요."

그때 아빠가 팔짱을 끼며 몸을 의자 뒤로 기대며 물었다.

"나오미, 네 엄마가 그러던데 수영복을 사 왔다며?"

그러자 엄마가 나섰다.

"네 방에 있는 비키니 아일랜드 쇼핑백이 워낙 눈에 띄어서 말이야."

"비키니 아일랜드라고? 어디 한번 입고 와 봐."

아빠가 약간 굳은 목소리로 말했다. 이 목소리는 아빠가 두 조각으로 된 비키니 수영복을 좋아하지 않는다는 뜻이었다.

나는 시간을 조금 끌다가 어기적거리며 내 방으로 향했다. 디젤이 발뒤꿈치에서 졸졸 따라왔다. 비키니 아일랜드 쇼핑백에서 수영복을 꺼내자, '환불 불가'라는 빨간색 도장이 찍힌 계산서가 딸려 나왔다.

'어쨌든 난 환불하지 않을 거야.'

나는 속으로 단호히 말했다. 누가 뭐라고 해도 이건 내 돈으로 산 내 옷이었다. 나는 옷을 벗은 뒤 빨간색 수영복 하의에 발을 집어넣고 위로 끌어올렸다. 상의는 등 쪽의 끈을 먼저 묶은 다음에 머리를 넣어 입었다.

잠시 후 뒤로 한 발 물러나서 거울을 보았다. 상의와 하의 사이가 멀어서 키가 더 커 보였다. 심지어 날씬해 보이기까지 하는 듯했다. 멋졌다!

하지만 내 발은 딱딱한 나무 바닥에 한동안 딱 달라붙어 있었다. 맨살이 너무 많이 드러나 보이나 싶기도…….

그때 엄마 목소리가 들렸다.

"나오미, 내려오고 있니? 이제 아빠 가야 할 시각이야."

나는 슬리퍼를 신은 뒤 딸깍, 딸깍, 딸깍 발소리를 내며 아래층으로 내려갔다.

"어머, 세상에!"

엄마가 나를 보더니 한 손으로 입을 가렸다. 책이 든 상자를 들고 있던 아빠는 비틀거리며 뒤로 물러나다가 숨을 헉 들이마셨다.

"비키니?! 게다가 빨간색?"

아빠는 결국 손에서 책 상자를 떨어뜨리고 말았다.

"아빠, 저한테 맞는 수영복은 이것뿐이었어요."

"어머, 예쁘다."

엄마가 환히 웃으며 말했다. 다행히 엄마는 내 편이었다!

"그래도 안 돼! 몸을 제대로 가려 주지 않잖아. 그러다 피부암에 걸리고 말거야."

아빠가 나무라자, 엄마가 부드러운 목소리로 거들었다.

"나도 예전에 저렇게 빨간색 수영복을 입었잖아. 우리가 처음 만났을 때 기억 안 나?"

"바로 그래서 문제야! 남자애들이 우리 딸을 그런 식으로 쳐다보는 게 싫다고."

아빠는 흥분해서 두 팔을 활짝 벌리며 말을 이었다.

"나오미는 대학에 가야 해. 그래서 의사가 되어야 한다고. 나 같은 패배자로 살아선 안 된단 말이야."

곧이어 아빠의 두 손이 힘없이 밑으로 뚝 떨어졌다. 어깨도 축 처졌다. 갑자기 집 안에 침묵이 감돌았다. 엄마가 아빠를 가만히 바라보았다. 뭔가를 말하려 듯 입술을 달싹였다.

나는 엄마가 입에서 나올 법한 말들을 떠올려 보았다. "제임스, 당신은 패배자가 아니야. 그리고 그날이 내 인생에서 가장 행복한 날이었어.", "나쁜 일만 있었던 건 아니야. 우리의 사랑스러운 딸을 좀 보라고." 이런 말들을 한다면 엄마가 집 밖으로 내던진 여행 가방 속의 짐이 다시 위층 옷장을 채우게 될지도 몰랐다. 그렇다면 우리 가족은 다시 합치게 되겠지.

하지만 이런 말들이 엄마 입에서 나오기도 전에 아빠는 책이 든 상자를 들고 밖으로 휙 나가 버렸다. 순간, 세상이 멈추는 듯한 기분이 들었다.

"엄마, 나한테 맞는 수영복은 이것뿐이었어요. 정말로요."

"나오미, 비키니 입어도 돼. 네 아빠는 스스로 극복하는 수밖에 없어."

그래도 기분이 썩 좋지 않았다. 화요일 밤의 영화 약속은 취소된 걸까? 내가 가장 바라는 건 엄마와 아빠가 합치는 일이었다. 나와 디젤, 루앤이 살아 있는 것 다음으로.

"너도 알다시피, 내가 간호사 자격 시험 준비를 하고 있을 때 네 아빠를 만났잖니?"

"그런데 간호사 준비를 왜 그만두셨어요? 아빠가 막지는 않았을 것 같은데."

엄마가 얼굴 가득 미소를 지었다.

"배 속에 네가 있었거든. 내게 일어난 일 중에서 가장 최고의 일이었지. 사실은 최근에 다시 학교로 돌아갈 생각이었어. 너도 다 컸으니까. 그런데 네 아빠가 그만 직장을 잃었지 뭐니?"

"엄마, 아직 방법이 있을 거예요."

"물론이지. 그러니까 너는 그 예쁜 수영복이나 즐겨. 아빠는 걱정하지 말고."

엄마가 또 한 번 미소를 지었다.

나는 침대에 누워서 오늘 있었던 일을 되새겨 보았다. 모건은 나를 설득해서 이 모든 문제의 원인이 된 그 '전부 끝장내 버릴' 빨간색 비키니를 사게 했다. 비키니는 서랍에 넣어 두고 엉덩이가 다 닳은 인어 공주 수영복을 입어야 할까? 어쨌든 고등학교에 올라가면 그런 옷을 더는 입을 수 없었다.

나는 조용히 눈을 감고서 수영장 가장자리에 편히 앉아 있는 내 모습을 상상했다.

전부 끝장내 버릴 그 빨간색 수영복을 입은 내가 자리에서 일어난다. 키가 크고 날씬해 보인다. 나는 아까 그 멋진 여자애들에게 도넛을 나눠 준 뒤 선선한 저녁 공기를 들이마신다.

나는 숨을 깊이 들이마셨다. 그러자 디젤의 방귀 냄새가 코로 훅 들어왔다.

"윽, 디젤!"

고약한 방귀 냄새 때문에 내 상상이 와장창 깨져 버렸다. 나는 냄새로부터 벗어나기 위해 몸을 뒤척이며 베개로 머리를 감쌌다.

나는 아침부터 비키니를 입은 채 거울 앞에 서서 이리저리 매무새를 가다듬었다. 내 나이 때 엄마 모습과 얼만큼 닮았을까? 엄마와 아빠는 아주 어렸을 때 사랑에 빠졌다고 들었다.

때마침 디젤이 침대 밑에서 기어 나오더니, 앞발을 포갠 채 꼬리를 살래살래 흔들었다.

"이 수영복 좀 봐. 내가 가진 옷 중에서 제일 멋져."

디젤이 컹컹 짖었다.

"그래, 네가 패션에 대해 뭘 알겠니?"

나는 고개를 절레절레 저었다. 디젤이 꼬리를 바닥에 쿵쿵 부딪쳤다.

그때 은은한 커피 향이 내 방까지 흘러 들어왔다. 엄마가 아직 집에 있다는 뜻이었다.

나는 재빨리 반바지와 티셔츠로 몸을 가리고서 엄마에게 달려갔다. 디젤도 내 발뒤꿈치를 졸졸 따라왔다. 엄마와 아침을 같이 먹을 기회는 그리 흔치 않았다.

"나오미, 잘 잤니? 어제 가게에서 요거트를 가져왔는데……. 먹어 볼래?"

"네."

엄마가 거기서 일하기 전부터 도넛 타임의 요거트는 내가 제일 좋아하는 간식이었다.

토스트는 없네?

디젤이 실망한 기색을 한 채 식탁 밑으로 기어가더니 바닥에 가만히 엎드렸다.

"디젤한테 사료 좀 갖다 줄게요."

뭐? 사료라고? 싫어!

디젤이 투덜거리며 길게 울었다. 나는 한숨을 내쉬었다.

"토스트도 만들고요."

내 말에 디젤이 벌떡 일어나서 꼬리를 살랑살랑 흔들었다. 나는 토스터에 식빵을 넣은 다음, 디젤의 그릇에 사료와 물을 채워 주었다.

"디젤을 돌보는 모습이 참 보기 좋네."

엄마가 내 앞에 플라스틱으로 된 요거트 통을 내려놓으며 말했다.

"나도 나이를 먹는다고요. 키는 계속 안 커도……. 그나저나 오늘 모건네 집에서 파자마 파티하는 날인데……, 잊으신 건 아니죠?"

"너, 정말 파티에 갈 거야? 모건을 별로 좋아하지 않는데도?"

엄마가 커피를 한 모금 마셨다. 나는 요거트에 들어 있는 블루베리를 스푼으로 떠서 먹었다.

"음, 요새 모건이 수영을 가르쳐 주고 있어요. 디젤 훈련도 도와주고 있고요. 그렇게 나쁜 애는 아닌 것 같아요."

그러고 보니 모건이 마지막으로 루앤을 '꼬맹이'라고 부른 게 언제였는지 기억이 나지 않았다. 모건은 수영복 사는 데 보태라며 내게 돈을 내밀기도 했다. 물에 빠진 나를 가장 먼저 찾으러 온 아이도 모건이었다.

"오늘 아빠랑 같이 집에서 영화 보기로 했어."

'아빠가 오시는구나! 오, 예!'

"엄마, 이따가 집에 간식 좀 갖다 주실 수 있어요? 도넛이든 뭐든요. 모건한테 언니랑 남동생이 있거든요."

"집들이 선물 같은 거구나? 어머! 우리 딸, 사려 깊기도 해라."

엄마가 식탁 너머로 팔을 뻗어 내 어깨를 토닥였다. 죄책감에 어깨가 움찔거렸다. 사실 간식은 그 여자애들이 먹을 거였다.

"근무 끝나고 나서 도넛이 남은 게 있으면 챙겨 올게. 참, 이따가 모건네 부모님 전화번호 좀 알려 줘. 전화라도 한번 해야지."

엄마는 이렇게 말하고는 자리에서 일어나 설거지를 하기 시작했다. 나는 그대로 얼어붙고 말았다.

"모건네 엄마 전화번호를 말하는 거죠? 두 분은 별거하고 계시거든요, 엄마랑 아빠처럼."

그러자 엄마가 눈살을 찌푸렸다. 모건의 엄마는 내가 모건네 집에 가는 걸 알고 있을까?

"엄마든 아빠든, 네가 가기로 한 쪽의 전화번호를 알려 주면 돼."

엄마는 커피 잔을 씻은 뒤 건조대를 가리키며 말했다.

"이것 좀 제자리에 넣어 줄래? 그리고 지금 이모네 집으로 미리 짐을 좀 옮겨 놓자. 그래야 이사할 때 덜 힘들지."

나는 수저를 서랍에 넣었다. 그러고 나서 엄마와 겨울옷이 담긴 상자를 하나씩 들고 이모네 집으로 걸어갔다. 디젤의 목줄을 손에 꼭 쥐고서.

"모건네 집에 갈 때 디젤도 정말 데려갈 거야?"

"디젤이 엄마랑 아빠 옆에 있으면 안 되죠. 아, 그러니까 엄마가 짐 싸실 때 방해될까 봐서요."

엄마가 눈을 가늘게 떴다.

"맞는 말이기는 한데, 디젤을 지금처럼 잘 통제할 수 있겠어?"

"자, 보세요. 얌전히 잘 걷죠?"

길모퉁이에 도착하자, 디젤이 얌전히 바닥에 앉았다. 나는 비엔나소시지 조각을 하나 주면서 말했다.

"잘했어."

고마워.

우리는 도로에 차가 지나가지 않는 때를 기다렸다가 반대편으로 건너갔다. 다행히 디젤이 줄을 당기며 앞서 걷지 않았다.

"세상에, 참 놀라운 일이구나."

엄마가 감탄스럽다는 듯이 말했다.

마침내 이모네 집에 도착하자 나는 현관문을 열며 큰 소리로 인사를 했다. 그러고는 곧장 짐을 지하실에 가져다 놓고는 루앤과 함께 소파에 앉았다. 그사이에 엄마와 이모는 일을 하러 갔다.

둘은 자매라기보다는 아주 친한 친구 사이 같아 보였다. 엄마는 나를 낳고 나서 더는 아이를 가지지 못했다. 그래서 내게는 형제나 자매가 없지만, 그 빈자리를 루앤이 너끈히 채워 주고 있었다.

그러고 보면 이사는 우리 모두에게 좋은 일인 셈이었다. 엄마가 우리 집에서 가장 좋아하는 곳인 부엌을 두고 떠나야 하는 게 마음에 걸리지만 이런 상황에서 아빠가 어떻게 집으로 들어올 수 있을지가 가장 큰 고민거리였다.

유아용 식탁 의자에 앉은 루앤이 내게 시리얼을 내밀었다. 디젤이 내 발치에 앉아 꼬리를 살랑살랑 흔들며 보챘다.

나한테 던져 줘!

그때 루앤이 내 뒤의 무언가를 보고 엉덩이를 들썩들썩하며 소리쳤다.

"건, 건, 건!"

비엔나소시지 소녀가 왔다!

디젤이 꼬리를 격렬하게 흔들었다. 고개를 돌리자 옆문으로 모건의 얼굴이 보였다.

"앉아!"

나는 검지를 내밀며 디젤에게 경고한 뒤 옆문으로 걸어가 문을 열어 주었다.

"일찍 왔네."

"응, 딱히 할 일도 없어서. 그런데 머핀은 안 가져왔나 보다."

"엄마가 이따 오후에 간식을 챙겨 오기로 하셨어."

"아이고, 이렇게 착하고 예쁜 강아지는 누구야?"

모건이 마치 아기를 다루듯 디젤의 머리를 손으로 부드럽게 쓰다듬었다. 그러고는 고개를 숙여 디젤이 얼굴을 핥을 수 있게 해 주었다.

“우리 엄마가 파자마 파티 때문에 너희 엄마한테 전화를 하시겠대.”

“괜찮아, 우리 엄마도 어차피 알고 계셔.”

“수영장 파티에 대해 뭐라 안 하셔?”

“응, 우리는 그냥 수영하러 가는 거니까. 늦게까지 있지도 않을 거고.”

“어른들 없이 파티하는 거, 우리 엄마는 싫어하실 거야.”

“친구들하고 수영하는 것뿐인걸. 너는 걱정이 너무 많아서 탈이야.”

“걱정이 많은 게 아니라 미리 알아 두려는 거야. 그래야 나중에 문제가 생기지 않지.”

“그렇게 전전긍긍하면 좀 낫니?”

모건이 빈정거리듯 물었다.

나는 내가 돈과 미래에 대해 얼마나 걱정을 많이 하고 있는지 곰곰이 생각해 보았다. 만약 내가 정말로 그때 호수에 빠져 죽었다면 어땠을까? 이런 것들이 과연 그렇게 중요할까?

“사실 그렇지 않아.”

“좋아, 그럼 내 방식대로 하자. 근데 너희 이모네 집에는 먹을 것 좀 없어?”

나는 냉장고를 열어 보며 말했다.

“빵이 조금 있네. 토스트 해 줄까?”

응!

디젤이 재빨리 대답했다. 나는 디젤을 잠시 물끄러미 바라보았다. 혹시 그 전에도 디젤은 내 말을 모두 알아들었던 게 아닐까? 문득 그런 생각이 들었다.

나는 냉장고에서 버터와 잼을 꺼낸 뒤 토스터에 빵을 넣었다. 구운 식빵을 모건에게 건네며 끄트머리를 조금 잘라 디젤한테 주라고 말했다.

"디젤, 손."

모건이 손을 내밀며 말했다. 디젤이 손 위에 앞발을 올려놓았다. 그러자 모건이 식빵의 가장자리를 떼어 디젤에게 주었다.

음, 좋아. 맛있어.

모건은 식빵 끄트머리를 디젤의 코에 올려놓은 다음 검지를 내밀며 숫자를 셌다. 셋까지 다 센 뒤 이렇게 말했다.

"좋아, 먹어."

디젤이 식빵 조각을 얼른 잡아채 먹었다.

"와우, 좀 더 일찍 훈련할 걸 그랬어."

모건이 말했다. 나는 손목시계를 흘끗 보았다. 여전히 날짜와 시각은 그대로였지만, 왠지 시간이 얼마 남지 않은 듯한 느낌이 들었다. 나는 고개를 절레절레 흔들었다.

"그거, 아직도 차고 있었어? 단거 먹고 자면 악몽 꾼다고 그랬잖아. 자, 이제 끝! 신경 쓰지 마."

"지난번에도 말했다시피, 이 시계는 아빠가 선물로 주신 거야.

그래서 버릴 수가 없다고."

순간, 목이 탁 메면서 눈물이 왈칵 쏟아질 것만 같았다. 하지만 울고 싶지는 않았다. 모건이 이해한다는 듯 내 등을 토닥였다.

"걱정하지 마. 이틀 후면 그 시계도 정확한 시각을 표시하게 될 테니."

모건이 키득키득 웃었다.

이틀……. 그래, 이틀. 내가 걱정하는 이유가 바로 그거였다. 7월 1일, 목요일, 4시 30분만 떠올리면 생각이 꼬리에 꼬리를 물면서 이어졌다. 나는 시계가 가리키고 있는 바로 그 시각에 물에 빠져 죽었다. 그리고 디젤도 죽었다.

하지만 이제는 모든 상황이 다른 방향으로 나아가고 있었다. 시계가 작동하든 하지 않든 상관없이 말이다.

우리는 그사이에 디젤을 훈련했다. 디젤도 더는 자동차나 다람쥐를 보고 무작정 쫓아가지는 않았다. 앞으로 내가 해야 할 일은 수영하는 법을 배우고, 그 어떤 부두에서도 절대 뛰어내리지 않는 거다. 아니, 호숫가 근처에는 아예 가지 않는 편이 좋겠다.

"얼른 치우고 나가자. 전부 끝장내 버릴 그 빨간색 비키니를 입으면 나도 수영을 할 수 있을지도 모르니까."

그 말에 모건이 하얀 이를 드러내며 활짝 웃었다.

우리는 디젤에게 목줄을 채웠다. 디젤은 그동안 차분하게 앉아서 기다렸다. 모건과 함께 루앤의 유모차를 들고 현관 앞 계단을 나서면서 새삼스럽게 안전하다는 안도감이 들었다.

그때와는 달리, 지금은 이런 일을 도와줄 친구가 생겨서 더 든든했다. 엄마처럼 여자 형제는 없지만 내 곁에는 모건이 있었다. 디젤까지 합치면 친구가 둘이나 되는 셈이었다. 지금까지 나는 내가 혼자 있는 걸 좋아하는 줄로만 알았다.

밖에 나서자마자 땡볕이 쏟아졌다. 하늘은 미세 먼지가 많아 칙칙한 회색빛을 띠었다. 나는 어깨를 곧게 펴고 똑바로 걸었다. 왠지 키가 조금 커진 듯한 느낌이 들었다.

마침내 그 집에 도착했을 때는 더 이상 몰래 들어가는 것 같은 기분이 들지 않았다. 나는 모건이 열쇠로 문을 열자마자 성큼성큼 안으로 걸어 들어갔다. 얼른 옷을 벗고 새 수영복 차림으로 갈아입고 싶었다. 곧장 반바지와 상의를 벗었다.

모건이 팔에 끼우는 튜브를 가방에서 꺼내며 말했다.

"나오미, 네 거 아니니까 걱정하지 마."

모건은 튜브를 루앤의 양팔에 끼운 뒤 입으로 훅훅 바람을 불어 넣었다.

"이거, 루앤이 가져도 돼. 남동생은 이제 혼자서 수영할 수 있거든."

튜브가 완전히 부풀자, 모건이 루앤의 손을 잡고 물속으로 들어갔다. 나도 뒤따라 들어갔다. 물이 내 가슴 높이까지 올라오는 걸 보고 위험하다고 생각했는지, 디젤이 물속으로 첨벙 뛰어들었다. 그러고는 헤엄을 치면서 내 주위를 크게 한 바퀴 돌았다.

언제나 조심해야 해!

그때 모건이 말했다.

"루앤이 얼마나 잘하는지 한번 봐."

루앤의 다리를 잡고 손을 요리조리 놀렸다.

"자, 발로 차고, 차고, 차고."

모건의 말투에서 어떤 안 좋은 감정도 느껴지지 않았다. 모건은 진심으로 루앤에게 감동한 눈치였다. 무엇보다 루앤을 꼬맹이가 아니라 이름으로 부르고 있었다. 루앤은 팔과 다리를 나보다 더 자유롭게 움직였다.

"나도 팔에 끼우는 튜브가 있어야겠어."

저번에 배운 개구리 동작을 연습하다가 뜻대로 되지 않자 괜스레 장난스럽게 투덜거렸다. 그러자 모건이 진지한 표정으로 말했다.

"물속에서 해 보는 건 어때?"

"정말? 물 위에 계속 떠 있는 게 중요하다고 생각했는데."

"이리 와 봐. 여기가 더 쉬울지도 몰라."

모건은 내 손을 잡고 더 깊은 곳으로 끌고 갔다. 내가 망설이자 내 머리 위로 손을 얹고 외쳤다.

"하나, 둘, 셋, 잠수!"

그러면서 나를 물속으로 휙 밀어 넣었다. 처음에는 죽을 둥 살 둥 발버둥을 치면서 모건을 발로 걷어차려고 안간힘을 썼다. 정말이지 모건을 죽여 버리고 싶었기 때문이다. 이러다 물에 빠져 죽을 것만 같은 공포가 훅 밀려들었다.

나는 두 손을 가지런히 모았다가 화살처럼 쏘며 양옆으로 밀어냈다. 다리는 개구리처럼 구부렸다가 뒤로 쭉 뻗었다. 놀랍게도 효과가 있었다! 세상에, 물이 나를 앞으로 밀어내었다. 어느새 내 몸이 앞으로 나아가고 있었다.

이제 수영을 하는구나!

디젤의 목소리가 들렸다. 디젤이 바로 내 옆에 있었다. 순간, 안전하다는 생각이 들면서 마음이 아주 평온해졌다.

마침내 수면 위로 올라가 숨을 들이마시자, 모건과 루앤이 환호하며 박수를 쳤다. 나는 손목시계의 의미 따위는 까맣게 잊어버렸다. 입가에 저절로 미소가 떠올랐다.

드디어 물속에서 수영을 했다! 이제는 부두에서 뛰어내린다고 해도 무사히 살아남을 수 있을 듯했다.

"우우아!"

나는 모건과 주먹을 맞댔다. 그런데 너무 시끄럽게 굴었던 걸까? 고개를 돌려 보니, 옆집의 이층 창문에서 지난번 그 할머니가 고개를 내밀고 있었다.

"수영장에 개가 있으면 안 돼. 수영장 비닐이 찢어진다고!"

할머니가 냅다 잔소리를 퍼부었다.

"이 수영장은 시멘트로 되어 있으니까 걱정 안 하셔도 돼요."

모건이 매우 태평한 목소리로 대답했다.

"경찰에 신고할 거야!"

할머니는 이렇게 소리치고는 집 안으로 냉큼 들어갔다. 마치 거북의 머리가 껍데기 안으로 쏙 들어가는 것만 같았다.

"그렇게 하세요. 어차피 우리는 곧 나갈 거니까요."

모건이 큰 소리로 외쳤다.

나는 그곳에 조금도 더 있고 싶지 않았다. 마음이 급한 나머지, 젖은 수영복 위에 겉옷을 허겁지겁 걸쳐 입었다. 할머니가 진짜로 경찰에 신고를 할까 봐 겁이 나기도 했다.

"우리 이모네 집에 가서 놀자. 루앤이 자기 침대에서 편안하게 낮잠을 잘 수 있게……, 응?"

모건이 고개를 끄덕이며 자리에서 일어서자, 디젤이 껑충껑충 뛰어올랐다. 나는 루앤을 얼른 유모차에 태웠다.

우리는 이모네 집에서 점심을 먹었다. 루앤은 크래커와 치즈를 먹다가 스르륵 잠이 들었다. 나는 루앤을 안아 침대에 뉘었다.

알고 보니 이모네 집에 〈원더 우먼〉 복사본이 있었다. 우리는 루앤의 칭얼대는 소리 없이 조용한 가운데서 영화 한 편을 다 보았다. 그런데 더 기적적인 일은, 이모가 집에 일찍 돌아와 이 주 동안 루앤을 돌본 값을 나한테 줬다는 거다. 분명 다음 달 집세를 엄마랑 같이 나눠 내기로 한 일과 관련이 있을 터였다.

지난 화요일에는 확실히 이런 일들이 일어나지 않았다. 어쨌든 지난번에 수영복을 사느라 통장에서 빼낸 돈을 원래대로 돌려놓을 수 있게 되었다. 심지어 이자까지 더해서!

설마 이것으로 우리의 행운을 다 써 버린 건 아니겠지? 괜스레 목 뒤쪽이 따끔거렸다. '7월 1일, 목요일, 4시 30분'까지는 아직 이틀이 더 남아 있었다. 과연 우리는 이 날짜를 무사히 잘 넘길 수 있을까?

모건은 이모네 집을 나서면서 디젤의 목줄을 손에 잡았다. 디젤은 한쪽 귀를 세운 채 주변 상황에 주의를 기울이며 차분하게 걸었다.

나는 인도에 서서 잠시 망설였다.

"나, 집에 잠깐 들러야 할 것 같아. 우리 엄마가 어떤 간식을 챙겨 오셨는지 너도 같이 가서 볼래?"

모건이 빙긋 웃었다.

"그래, 좋아. 글레이즈드 도넛을 가져오셨으면 좋겠다."

"내가 오늘 밤에 아빠가 엄마랑 같이 〈셰이프 오브 워터 : 사랑의 모양〉을 보기로 했다고 이야기했나? 우리 엄마는 그 영화를 계속 보고 싶어 하셨어."

"말 못 하는 여자가 도마뱀 남자와 사랑에 빠지는 그 소름 끼치는 영화를?"

"그래도 최우수 작품상을 받았잖아."

"제정신인 여자라면 물속에서 파충류와 사는 걸 꿈꾸지 않아. 너희 엄마는 그런 영화를 보면서 너희 아빠를 안고 싶지는 않으실걸!"

그 말에 나는 피식 웃었다.

이제 내 인생의 모든 것들이 제자리를 찾아가고 있는 것 같았다. 오늘 저녁도 아빠를 위해 잘 흘러가 준다면 얼마나 좋을까?

우리가 집에 도착하고 나서 얼마 있지 않아서 엄마가 돌아왔다. 도넛을 두 상자나 가지고 왔다. 크림과 잼이 들어간 도넛, 글레이즈드 도넛, 머핀, 그리고 미니 도넛까지.

"형제가 어떻게 되니?"

엄마가 모건에게 물었다.

"둘이요. 언니 하나, 남동생 하나. 그리고 저는 도넛을 엄청 좋아해요."

가뭇가뭇한 주근깨 너머로 모건의 얼굴이 발갛게 달아올랐다.

"음, 맛있게 먹어. 자, 이제 너희 엄마 전화번호 좀 알려 줄 수 있을까?"

"네, 여기 있어요."

모건이 엄마에게 전화번호를 보여 주기 위해 화면에 금이 간 휴대폰을 내밀었다.

엄마는 곧바로 전화를 걸었다. 모건의 엄마가 무슨 이야기를 했는지는 모르겠지만 금세 만족스런 표정으로 바뀌었다. 모건이 예상했던 대로였다.

내가 모건에게 말했다.

"나, 짐 좀 챙겨 올게."

수건, 칫솔, 속옷, 그리고 잠잘 때 입을 긴 티셔츠를 챙기는 데 오 분 정도 걸렸다. 얼마 뒤 복도로 나오다가 엄마와 마주쳤다.

"나오미, 재미있게 놀다 와."

"네, 이따 오후에 친구들이랑 수영하러 갈까 해요."

솔직하게 털어놓으면 긴장이 풀려야 하는데, 웬일인지 이번엔 그렇지가 않았다. 나는 엄마를 두 팔로 꼭 끌어안으며 귀에 대고 속삭였다.

"사랑해요."

앞으로의 일은 아무도 모르니까.엄마도 나를 꽉 안아 주었다.

나는 그 '전부 끝장내 버릴' 빨간색 수영복을 겉옷 안에 입고 있었다. 이상하게도 기운이 나는 것 같았다. 잠깐이지만 물속에서 헤엄쳐 나왔던 그 경험 덕분에 위급한 상황이 생겨도 살 거라는 희망이 생겨서일까?

이모네 집으로 이사하면 전처럼 돈도 그리 빠듯하지는 않을 것이다. 이제 엄마와 아빠가 다시 합치기만 하면 될 듯했다. 도마뱀 남자가 나오는 영화가 둘 사이에 효과가 있든 없든 말이다.

문을 나서자마자 불볕 같은 더위로 쓰러질 것만 같았다. 다행히도 모건의 집은 두세 블록밖에 떨어져 있지 않았다. 모건이 디젤의 목줄을 잡은 채 흐뭇한 표정으로 도넛 상자를 들고 갔다.

"벌써 다 왔네."

모건네 집은 방 두 칸짜리 연립 주택으로, 우리 집과 비슷한 구조였다. 사실 이 근방의 집들은 다 비슷비슷하게 생겼다. 굳이 우리 집과 다른 점을 찾자면, 모건의 엄마는 부엌을 딱히 예쁘게 꾸며 놓지 않았다는 것 정도랄까? 천장은 몹시 어두웠고, 벽은 붕대 색깔처럼 누렜다.

도넛 상자를 조리대에 올려놓으려 할 때, 키가 아주 크고 얼굴에 주근깨가 다닥다닥 박힌 남자아이가 뛰어 들어왔다.

디젤이 남자아이를 향해 꼬리를 마구 흔들었다.

"안녕, 강아지야!"

남자아이가 바닥에 쪼그리고 앉아 디젤을 양팔로 감싸 안았다. 문득 나도 루앤처럼 아기가 아니라 어느 정도 대화를 나눌 수 있을 만큼 자란 동생이 있으면 좋겠다는 생각이 들었다.

남자아이가 고개를 들어 조리대를 보며 물었다.

"하나 먹어도 돼?"

"저녁 먹을 때까지는 안 돼, 키어런."

모건이 대답했다.

"나, 지금 배고픈데."

키어런은 디젤을 계속 안고 있었다. 디젤은 벗어나고 싶은 것 마냥 키어런의 얼굴을 자꾸 핥았다.

"그럼 저녁은 언제 먹어?"

"한 시간 후에. 그리고 이제 그만 개를 놔줘."

모건의 말에 키어런이 디젤을 안고 있던 팔을 풀었다. 모건이 휘파람을 불자, 디젤이 우리를 따라 모건과 언니가 함께 쓰는 아래층 방으로 내려갔다. 그 방은 지하실 하나를 통째로 쓰고 있어서 엄청나게 넓었다. 마치 소녀들의 동굴 같았다.

벽에는 〈원더 우먼〉 포스터가 가득했다. 두 개의 침대에는 은색 글자가 커다랗게 찍혀 있는 파란색 이불이 똑같이 덮여 있었다. 'M'이라고 찍힌 건 모건의 이불이었고, 'R'이라고 찍힌 건 모건 언니 레이철의 이불이었다.

언니의 이불은 모서리가 반듯하게 접힌 채 깔끔하게 정리되어 있었지만, 모건의 이불은 방금 누군가가 막 빠져나온 듯 아무렇게나 구겨져 있었다. 디젤은 모건의 이불 속으로 슬그머니 기어 들어갔다.

"언니는 오늘 밴드 연습이 있어서 늦게 올 거야. 그러니까 우리, 손톱이랑 발톱에 매니큐어 바르고 있자."

모건이 깔끔하게 정돈된 쪽으로 건너가더니, 매니큐어를 비롯해 여러 가지 미용 도구를 챙겨 들고 왔다.

"이것 좀 봐. 손톱에 붙이는 스티커도 있어. 여러 장 있으니까 몰래 몇 장 써도 될 것 같은데? 수영하는 동안 떨어지진 않겠지?"

"우리 마음대로 쓰면 너희 언니가 싫어하지 않을까?"

"절대 모를 거야. 언니가 집에 오기 전에 우리는 나가고 없을 테니까. 와, 이것 좀 봐. 빨간 장미야. 하얀색 매니큐어에 이걸 붙이면 눈에 확 띄겠지?"

스티커가 스무 장이나 사라지면 모건의 언니가 절대로 모를 리 없을 듯했다. 그런데도 손톱에 빨간 장미 스티커를 붙이면 내 수영복과 완벽하게 어울릴 거란 생각이 들었다. 언니가 나중에 알게 되더라도 모건에게 화를 내겠지? 나는 결국 내 마음과 타협하고 말았다.

"그래, 해 보자."

"좋아!"

모건이 냉큼 가서 휴지를 가져왔다. 우리는 휴지를 찢은 다음 작게 접어서 발가락 사이에 끼워 넣었다. 곧이어 모건이 하얀색 매니큐어 뚜껑을 열더니, 내 발톱에다 조심스럽게 칠해 주었다. 그런 다음 장미 스티커를 한 장 떼어 가운데에서 약간 비껴난 자리에 붙였다.

"비뚤어졌잖아."

나는 불통한 목소리로 투덜거렸다. 살짝 비뚤어진 모습이 마치 모건하고 똑같다는 생각이 들었다. 모건은 언제나 약간 옳지 못한 행동을 했다. 지금 언니의 물건을 몰래 쓰고 있는 것처럼.

모건은 내 엄지발톱에서 장미 스티커를 떼어 다시 한가운데에 붙였다.

"자, 이제 됐나요? 까탈쟁이 아가씨?"

"응, 맘에 들어."

모건은 나머지 발가락에도 장미 스티커를 한 장씩 붙였다. 그러고 나서 그 위에 투명한 광택제를 발랐다.

이번에는 내가 모건의 발톱에 주황색 매니큐어를 발라 주었다. 반짝이는 나비 스티커를 붙인 뒤 그 위에 광택제를 발랐다. 그러는 동안, 모건은 자신의 손톱에다 매니큐어를 칠했다.

"이렇게 꾸미는 거, 언니한테 배운 거니?"

"지금 농담해? 우리 언니는 완전 마녀야. 외출 준비를 할 때면 나를 이 방에서 아예 쫓아내 버린다니까."

모건이 반짝이는 나비를 엄지손톱 아래쪽 구석에다 붙이며 내게 말했다.

"여기 어때? 여기 괜찮아?"

"아니, 가운데에 붙여."

나는 검지손톱에 장미 스티커를 붙이다 말고 물었다.

"이거, 손톱마다 다 붙이는 거야?"

"당연하지! 오늘은 특별한 밤이니까."

나는 한쪽 눈썹을 추켜올린 채 스티커를 차례로 붙여 나갔다. 혹시 우리가 이 수영장 파티에 너무 많은 기대를 걸고 있는 건 아닌지 걱정이 되곤 했다. 스티커를 손톱에 붙일 때마다 새로운 생각들이 자꾸자꾸 꼬리를 물었다.

만약 그 여자애들이 우리를 놀리려고 장난삼아 어울리는 거라면 어떡하지? 아빠가 내 빨간색 비키니 수영복 때문에 기분이 언짢아서 영화를 보러 가지 않으면 어떡하지? 막상 엄마가 도마뱀 남자가 나오는 영화를 싫어하면 어떡하지? 엄마랑 아빠가 다시 합치지 못하면 어떡하지? 그 멋진 여자애들과 어울리는 건 고사하고, 내가 전처럼 죽어서 고등학교에 아예 못 가게 되면 어떡하지?

그 순간, 현관문이 닫히는 소리가 들려왔다.

6월 29일 화요일

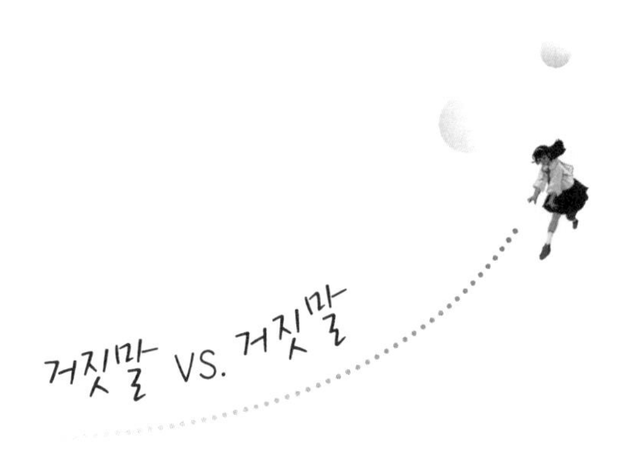

거짓말 VS. 거짓말

디젤이 이불 밖으로 머리를 쏙 내밀더니 짧게 으르렁거렸다.

경고, 누군가 여기로 오고 있어!

"모건, 이제 방에서 나와. 나, 샤워해야 해."

"윽, 세상에! 언니다."

모건이 낮게 말했다. 그러고는 바깥에다 대고 짐짓 큰 소리로 외쳤다.

"잠깐만 기다려. 우리, 지금 옷 갈아입는 중이야!"

그러고는 내게 투명 매니큐어를 휙 던졌다.

"손톱에 마저 발라!"

모건은 발가락 사이에 끼워 둔 휴지를 허겁지겁 빼내기 시작했다. 뒤이어 내 발가락의 휴지도 잽싸게 빼냈다.

"우선 발톱을 가려야 해. 안 그러면 언니가 눈치챌 거야."

모건은 서랍에서 양말을 꺼내더니 한 켤레를 툭 던졌다.

"여기, 정말 덥거든! 빨리 좀 해 줄래?"

언니가 밖에서 소리쳤다.

"이거, 원래 이렇게 있었나?"

나는 매니큐어와 스티커를 제자리에 정돈하면서 모건에게 물었다.

"응, 똑같아. 일단 나가자."

모건은 제대로 쳐다보지도 않고 건성으로 대답했다. 디젤이 먼저 계단을 뛰어 올라갔다.

"어머, 멋진 강아지구나."

언니가 디젤을 보고는 자못 다정하게 속삭였다. 그러고는 한껏 못마땅한 표정을 지으며 모건에게 말했다.

"네가 저녁 준비할 차례인데, 아직 시작도 안 했네?"

매니큐어 냄새 때문일까? 언니가 갑자기 코를 찡그리며 킁킁거렸다.

"지금 준비하려고 이렇게 올라왔잖아!"

모건이 언니를 툭 밀어내며 퉁명스럽게 대답했다.

언니는 내가 지나갈 수 있도록 문 옆으로 비켜서 주었다. 청회색 공군 제복에 투박한 검은색 구두를 신고 있었는데, 땀에 흠뻑 젖어서 그런지 약간 짜증이 난 듯했다. 머리카락을 동그랗게 말아 꽉 묶고서 모자를 썼는데, 그 아래로 금발 머리카락이 몇 가닥

삐져나와 있었다.

“우아, 너희 언니 성격 장난 아니다.”

등 뒤에서 문이 닫히는 걸 확인하고는 모건에게 나직이 속삭였다.

“언니는 밴드 연습이 있는 날에는 유난히 기분이 더 안 좋아.”

모건이 어깨를 으쓱했다. 그런 다음 냉동실에서 미트볼을 꺼내 전자레인지에 넣고 돌렸다.

“내가 도와줄 거 있어?”

“식탁 좀 차려 줘. 수저는 저기 서랍에 있어.”

나는 식탁에 포크와 나이프를 가지런히 늘어놓았다. 모건은 가스레인지에 물을 올려놓고 토마토소스 캔 두 개를 땄다. 그러다 둘이 동시에 도넛 상자가 열려 있는 것을 발견했다.

모건이 한숨을 푹 내쉬었다.

“키어런이 먹었네.”

“괜찮아. 뭐 그리 큰일도 아니잖아.”

내 말에 모건이 어깨를 또다시 으쓱해 보였다. 모건은 물이 끓자 파스타 면을 냄비에 집어넣었다.

“그런데 너희 언니는 밴드 연습을 왜 싫어하는 거야?”

“언니는 비행하는 법을 배우고 싶어서 거기 들어갔거든. 튜바 연주가 아니라…….”

그러고 나서 십 분쯤 지났을까? 모건이 동생을 소리쳐 불렀다.

“키어런!”

그 소리를 듣고 키어런이 득달같이 달려왔다. 입가에 빨간 잼이 잔뜩 묻어 있었다.

모건은 접시에 파스타 면을 담은 뒤 소스를 끼얹고 미트볼을 두어 개씩 올렸다. 이윽고 키어런에게 접시를 내밀며 말했다.

"자, 이거 가져가."

키어런이 식탁으로 가자, 모건은 접시 세 개를 꺼내 똑같이 담았다.

우리는 접시를 들고 식탁으로 가 앉았다. 그러자 반바지에 티셔츠 차림을 한 언니가 부엌으로 쑥 들어왔다. 포니테일 스타일로 묶은 긴 머리가 축축하게 젖어 있었다.

"모건, 혹시 고데기 가져갔니?"

"음……, 아니."

잠시 머뭇거린 걸로 보아, 이번에도 모건이 거짓말을 하는 것 같았다.

"그럼, 그게 어디 있을까?"

언니가 매서운 눈초리로 물었다.

"안방 화장실에 가 봐. 엄마가 쓰셨을 수도 있지. 자, 여기 식탁에 있는 거 언니 먹어."

언니는 내 옆에 자리를 잡아 앉았다. 나는 손톱을 감추려고 포크와 숟가락 밑으로 손가락을 집어넣었다. 언니가 키어런에게 말했다.

"키어런, 음식 앞에서 장난치지 말고 얼른 먹어."

"누나가 엄마라도 돼?"

"네가 좋아하는 파스타잖아. 제대로 앉아서 먹으라고."

그런데 갑자기 언니의 눈이 가늘어졌다.

"키어런, 턱에 묻은 그 하얀색 가루는 뭐야?"

키어런이 손등으로 재빨리 턱을 닦았다.

"모건, 저녁 먹기 전에 키어런한테 도넛을 줬구나?"

"딱 하나 먹은 거야. 키어런, 어서 먹어. 꽤 맛있어."

모건이 말했다.

"나중에 배고프다고 해도 챙겨 줄 사람 없어."

언니는 키어런에게 또 한 번 매섭게 말하고는, 목소리를 짐짓 낮춰 내게 부드러운 목소리로 물었다.

"네가 나오미구나, 그렇지? 손톱 예쁘다. 나도 너랑 똑같은 스티커가 있는데……."

나는 포크 밑으로 손가락을 더 밀어 넣었다. 하지만 이미 늦어 버렸다.

"야, 너! 손톱에 그 나비 뭐야?"

언니가 모건의 손톱을 가리키며 날카롭게 소리쳤다. 순간, 침묵이 흘렀다. 그 침묵은 화산이 폭발하기 직전의 고요함처럼 아슬아슬하기 그지없었다.

"그거 내 스티커지, 그렇지?"

언니가 소리를 바락바락 질렀다. 얼굴이 순식간에 벌겋게 달아올랐다.

"내 고데기도 네가 가져갔지, 그렇지?"

모건은 아무렇지도 않은 듯 계속 미소를 짓고 있었다. 언니의 분노가 하늘로 치솟았다. 그 날선 감정이 고스란히 피부로 느껴져서 나는 안절부절못했다.

"이 기집애가!"

결국 언니는 미트볼을 손으로 집어 들더니 모건에게로 획 던졌다. 모건은 잽싸게 머리를 숙였다. 잠시 후 모건의 머리가 다시 위로 올라오는 순간, 미트볼이 또다시 날아갔다. 애꿎게도 키어런의 뺨을 치고는 공중으로 튕겨 나갔다.

"아야!"

키어런이 비명을 질렀다. 뒤이어 디젤이 미트볼을 향해 달려가 홱 낚아챘다.

"와우, 저 개 끝내주는데."

언니가 미트볼을 더 던지려다 말고 감탄한 듯이 말했다.

"저 개가 뭘 했는데 그러니?"

바로 그때, 낯선 목소리가 들렸다. 나는 디젤에게서 눈을 떼고 고개를 돌렸다. 모건의 엄마가 양손에 식료품 봉지를 들고 서 있었다.

모건처럼 키가 삐죽 컸는데, 창백한 얼굴엔 주근깨 대신 주름이 가득했다. 모건의 엄마는 조리대로 걸어가 봉지를 내려놓은 다음, 손등으로 이마를 닦으며 다시금 물었다.

"레이철, 손으로 음식을 먹고 있었던 거니?"

"아, 아니요. 저 개한테 던지고 있었어요. 킹만큼 기술이 좋아요. 한번 보실래요?"

언니가 미트볼을 힘껏 던졌다. 미트볼이 모건의 귀를 스쳐 지나자, 디젤이 높이 뛰어올라 입으로 잡아챘다.

모건의 엄마는 팔짱을 낀 채 고개를 절레절레 저었다. 우리 엄마라면 음식을 낭비했다고 다짜고짜 고함부터 질렀을 텐데. 모건의 엄마는 그저 미소를 지을 뿐이었다.

"그래, 정말 놀라운걸. 그나저나 레이철, 장 봐 온 것 좀 정리해 줄래? 엄마는 샤워하고 올게."

그러자 모건이 자리에서 벌떡 일어나며 말했다.

"내가 할게요!"

모건은 엄마가 부엌에서 나가자마자 잽싸게 조리대로 갔다.

"네가 내 물건을 훔쳤다고 엄마한테 이르면 너는 한 달 동안 외출 금지야."

언니가 쏘아붙이자 모건이 지지 않고 대들었다.

"언니가 나한테 미트볼을 던진 건? 그것도 외출 금지인 건 마찬가지야."

모건은 이렇게 말하고는 냉동실에 아이스크림을 넣으며 미소를 함빡 지었다.

"쿠키 맛 아이스크림이다. 내가 좋아하는 맛이네. 아무래도 엄마는 나를 제일 사랑하나 봐."

그러자 언니가 키어런의 미트볼을 집어 모건에게로 휙 던졌다. 이번에는 얼굴에 명중했다. 모건은 바닥으로 떨어지는 미트볼을 손으로 냉큼 받아 쥐었다.

"아야, 아야, 아야! 멍든 것 같아. 나오미, 여기 와서 내 얼굴 좀 봐 줘. 혹시 멍들지 않았니?"

나는 그냥 어깨를 으쓱해 보였다. 이 전쟁에 끼어들고 싶지 않았다.

"좋아, 손톱 스티커에 관해서 엄마한테 말하지 않을게."

모건은 아무 말 없이 식료품을 정리했다. 정리를 거의 다 마쳤을 무렵, 모건의 엄마가 수건으로 머리카락을 말리며 부엌으로 들어왔다.

"너희, 수영하러 어디로 갈 거니?"

"루치 삼촌이 관리하는 수영장이요."

"그래, 조심해서 잘 놀다 와. 11시까지는 꼭 들어오고."

모건은 고개를 끄덕이며 대답했다.

"네, 그럴게요."

모건의 엄마가 냄비에서 파스타 면을 포크로 집어 올려 맛을 보았다.

"음, 내가 딱 좋아하는 정도로 익혔네. 너희는 어서 가 봐. 여기는 레이철하고 키어런이 치울 테니까."

우리는 언니가 불평을 늘어놓기 전에 서둘러 밖으로 나왔다.

모건이 시시덕거리며 말했다.

"언니가 날 죽이지 않아서 오히려 놀랐어."

이번만큼은 형제자매가 없어서 다행이라는 생각이 들었다.

6월 29일 화요일

운명의 장난

우리는 수영장 가장자리에 앉아 출입문을 우두커니 바라보고 있었다. 내 머리카락은 너무 가늘고 곱슬곱슬해서 아무리 잘 매만져도 금방 원래대로 돌아갔다.

"내 머리 괜찮아?"

"그것도 다 네 나름의 멋이라고. 알겠니?"

모건이 자신의 긴 머리카락을 뒤로 쓸어넘기며 말했다.

"그 아이들은 언제 올까?"

나는 잿빛 하늘을 올려다보며 혼잣말처럼 중얼거렸다. 바람 한 점 불지 않아서 풀잎조차 흔들리지 않았다. 무겁디 무거운 공기 속에서 등줄기로 땀이 주르르 흘러내렸다.

"곧 폭풍우가 몰아칠 것 같아. 그러면 그 아이들은 안 올지도 모르지."

내 말에 모건이 단호하게 대답했다.

"아니야, 금방 올 거야."

나는 너무 긴장이 되어서 자꾸만 손톱을 물어뜯고 싶었다. 손가락을 입으로 가져가다가 손톱에 붙어 있는 장미 스티커를 보고는 스르르 손을 내렸다. 그걸 보고 있으면 입가에 저절로 미소가 떠올랐다.

'나는 지금 꽤 멋있는 것 같아. 이제 수영도 어느 정도 할 수 있게 되었고. 무엇보다 디젤이 무사히 살아 있잖아? 엄마랑 아빠도 함께 시간을 보내고 있고.'

"이제 그만 들어가서 수영할까?"

모건이 물었다.

"그 여자애들이 왔을 때 물에 빠진 생쥐처럼 보이고 싶진 않아."

"그럼 머리를 밖에 내놓은 채로 헤엄치면 되잖아."

말이야 쉽지. 나는 아직 물에 뜨는 법을 익히지 못했다. 그렇다고 땀을 뻘뻘 흘리면서 이렇게 밖에 계속 있고 싶지도 않았다. 차라리 지금 물에 뜨는 연습을 하는 것도 괜찮을 듯했다.

나는 자리에서 일어나 수영장 계단을 내려갔다. 모건이 내 뒤를 따라왔다.

내가 안전한지 살펴볼게.

디젤이 나를 훅 밀치더니, 먼저 물속으로 들어가 크게 한 바퀴 돌기 시작했다. 나는 느릿느릿 걸음을 옮겼다. 물이 내 허리 높이께까지 올라왔다. 모건한테는 허벅지 중간쯤밖에 안 올 테지만.

"똑똑! 누구 있나요?"

그때 대문 밖에서 어떤 목소리가 들려왔다. 디젤이 반갑다는 듯 왈왈 짖었다.

"안 잠겨 있어. 걸쇠만 들어 올리면 돼."

모건이 소리쳤다.

문득 그 여자애들이 대문 안으로 들어왔을 때, 물속에서 우아하게 미끄러져 나아가고 있는 내 모습을 보여 주면 좋겠다는 생각이 들었다. 그래서 두 팔을 앞으로 쭉 내밀며 다리를 개구리처럼 뒤로 쭉 뻗었다. 피부에 물결이 부드럽게 와닿았다. 그 느낌이 무척 좋았다.

그런데 한순간 갑자기 물결이 거세게 일더니 내 몸을 훅 덮쳤다. 나는 쿨럭쿨럭 물을 내뱉으며 바닥에 발을 디디려 애썼다. 하지만 물이 너무 깊었다. 나는 서서히 물속으로 가라앉았다.

'안 돼, 안 돼!'

팔을 마구 휘저어 보았다. 다리가 마음대로 움직이지 않았다. 소리를 지르고 싶었지만, 입에서는 거품 말고는 아무것도 나오지 않았다.

나, 여기 있어.

디젤이 내 옆에서 헤엄을 치며 왈왈 짖었다.

'정신 차려. 나는 지금 물속에 있어. 물속에서는 제대로 헤엄칠 수 있잖아.'

가까스로 수심이 얕은 쪽으로 헤엄쳐 나간 뒤 바닥에 발을 딛고 일어섰다. 그러자 톰의 붉은색 머리카락이 보였다. 이마와 눈, 코, 입가의 미소가 차례로 눈에 들어왔다. 톰은 물개처럼 사방으로 물을 흩뿌리며 신나게 수영을 하고 있었다.

"안녕, 모건. 안녕, 나오미."

톰이 인사를 건넸다.

"어, 이게……."

나는 당황한 나머지, 말을 더듬거렸다.

모건이 인사를 하며 물었다.

"안녕, 톰. 그런데 시몬은?"

"오 분 정도 뒤에 다른 애들이랑 함께 올 거야."

톰은 다이빙하듯 물을 마구 튀겼다.

"시몬? 그 여자애들이랑 가볍게 모이는 거라며?"

내가 의아한 표정을 지으며 묻자 모건이 윙크를 하며 말했다.

"시몬이 없으면 파티가 아니지. 그렇지 않아?"

그러자 톰이 대꾸했다.

"걱정하지 마. 네 비키니 차림을 아무도 인터넷에 올리지 않을 거니까. 우리랑 여자애들 몇몇만 모이는 건데, 뭘."

나는 그제야 알아차렸다. 그래! 그래서 그 여자애들이 이곳에 오는 거였다. 우리가 수영하자고 초대를 해서가 아니라…….

어쨌거나 모건은 시몬이 나를 좋아한다고 했다. 만약 시몬이 내게 관심을 기울인다면, 그 여자애들이 나를 무시하는 일은 없을 터였다. 그런데 모건의 말을 믿을 수 있을까? 순전히 톰을 차

지하기 위해서 나를 이용하는 거라면?

그렇게 생각하자 숨이 점점 가빠졌다. 나는 다시 한번 속으로 되뇌었다.

'디젤은 지금 살아 있어. 나는 물속에서 헤엄을 칠 수 있고. 다 잘 될 거야.'

하지만 모건은 나한테 거짓말을 했다. 또 한 번 나를 속인 셈이었다.

나는 머릿속의 복잡한 생각을 애써 지우고, 헤엄을 쳐서 물속으로 들어갔다. 물속에선 모든 게 느리고 흐릿했다. 그래서 마음이 한결 편안했다.

얼마 뒤 물 밖으로 고개를 내밀었을 때, 걸쇠가 딸깍 풀리는 소리가 들렸다.

누가 왔는지 확인해야지, 확인.

디젤이 재빨리 수영장 계단을 올라가 대문 쪽으로 달려갔다.

곧이어 여러 사람의 목소리가 뒤섞여 들렸다.

"세상에, 이렇게 멋진 데서 수영을 하다니! 믿을 수가 없어."

"와, 영화배우 같은 사람들이 사는 집 같아."

여자애들이 감탄하는 소리가 연거푸 들리더니, 곧 대문이 활짝 열렸다. 키가 크고 예쁜 여자애들 네 명이 보였다.

"안녕!"

흑갈색 머리를 어깨 위로 고불고불하게 늘어뜨린 타라가 내게 손을 흔들었다.

"어머, 이 귀여운 강아지는 누구야?"

검은색 머리칼에 광대뼈가 유난히 도드라진 프란체스카가 디젤을 쓰다듬으며 호들갑을 떨었다.

"안녕?"

그때 모건이 덧니를 드러내고 웃으며 그 애들에게 인사를 건넸다. 나는 모건을 노려보았다. 모건은 마치 이 호화로운 저택의 주인이라도 되는 것마냥 행세하고 있었다.

"안녕, 땅콩!"

시몬이 나를 보며 인사했다. 시몬은 여전히 나를 이름으로 부르지 않았다.

음, 이쯤에서 물 밖으로 나가야 하겠지? 저 여자애들은 나보다 다리가 길었다. 나는 수영장 가장자리에 손을 올려놓고 어색하게 몸을 들어 올렸다. 그런 다음 그 애들 쪽으로 쭈뼛쭈뼛 걸어갔다. 어쩐지 바보가 된 듯한 기분이 들었다.

브레나가 나를 가리키며 말했다.

"아, 그저께 쇼핑몰 엘리베이터에서 봤던 애구나? 학교에서 친구들 공부를 봐준다는 똑똑한 애……. 맞지? 아니야?"

"그래, 맞아. 그 천재 소녀!"

타라가 맞장구쳤다.

"나라면 친구를 천재라고 부르진 않을 거야."

그때 모건이 말했다. 이상하게도 나를 변호해 주는 듯한 느낌이 들었다.

"네 공부 도와줬다는 애 맞잖아. 아니야?"

브레나가 물었다.

'모건이 다른 아이들에게 그런 이야기를 했다고? 대체 무슨 말을 또 했을까?'

모건이 무언가를 말하려 입술을 달싹이자, 시몬이 먼저 손바닥을 내 쪽으로 내밀며 이렇게 말했다.

"자, 여러분! 제가 소개하도록 하지요. 여기는 땅코……."

"나오미."

모건이 시몬을 대신해서 내 이름을 말했다.

"얘 이름이 나오미라고."

나는 수영장 가장자리에 서서 물을 뚝뚝 흘린 채 멍하니 서 있었다. 뭔가 재미있는 말을 해야 할 것 같은 분위기였다.

"여기, 너희 집이니?"

수링이 가방에서 탄산음료를 꺼내며 내게 물었다.

"아니, 모건네 삼촌의 친구가 사는 집이야."

순간, 옆집의 이층 창문에서 언뜻 사람 그림자가 스쳤다. 곧이어 블라인드가 위로 올라가더니, 쪼글쪼글 주름진 얼굴의 할머니가 나타났다.

나는 짐짓 손을 머리 위로 들어 올려 인사를 했다. 하지만 할머니는 다짜고짜 눈살을 찌푸리더니 창문에서 휙 사라졌다.

그사이에 시몬은 청바지를 벗었다. 곧 번개가 그려진 주황색 수영복 반바지 차림이 되었다. 이어서 티셔츠를 벗었을 때는 나도 모르게 고개를 돌렸다. 여자애들은 키득키득 웃으며 차례로 치마와 윗도리를 벗었다. 전부 내 것보다 더 얄따란 비키니 수영복을 입고 있었다.

나는 아까 수건을 깔아 놓았던 곳으로 걸어갔다. 도넛 상자를 들고 시몬 앞으로 가서 뚜껑을 열어 보이며 물었다.

"도넛 먹을래?"

"어! 음, 고마워. 그런데 수영 좀 하고 나서 먹을게."

시몬은 두어 걸음 걷는가 싶더니, 브이자를 그리며 물속으로 풍덩 뛰어들었다. 타라와 프란체스카는 계단을 통해 천천히 아래로 내려갔다.

"으으윽, 추워."

타라는 어깨를 잔뜩 움츠린 채 두 팔을 가슴 앞에서 엑스자로 포갰다. 수링이 도넛을 입으로 가져가며 내게 물었다.

"내가 제일 좋아하는 맛이야. 여기, 탄산음료 마실래?"

"음, 음료를 마시기가 좀 그래. 여기는 화장실이 없어서 말이야."

그러자 수링이 손을 내저으며 이렇게 대꾸했다.

"그냥 물에 들어가도 돼. 다들 그렇게 하잖아."

그러고는 가방에서 휴대용 스피커를 꺼내 휴대폰과 연결한 뒤 볼륨을 한껏 키웠다.

"내가 좋아하는 노래야!"

수링은 음악에 맞춰 몸을 흔들기 시작했다. 그때 시몬이 물 위로 올라왔다. 수링의 춤이 시몬의 시선을 잡아끈 모양이었다.

"수링, 이리 들어와. 물 온도가 딱 좋아."

시몬이 수링을 불렀다. 모두들 나는 안중에도 없는 듯했다. 다시 중학교로 돌아간 듯한 느낌이었다. 나는 도넛을 입에 쑤셔 넣은 뒤 탄산음료를 벌컥벌컥 들이켰다. 그러자 트림이 끄윽 올라왔다.

톰과 모건은 서로에게 물을 튀기며 장난을 치고 있었다. 서로를 바라보며 시시덕거리느라 정신이 없었다. 결국 모건은 원하는 남자 친구를 얻고 있었다. 그래서 이 모든 일을 벌인 거겠지만.

생각에 거기에 미치자 얼굴이 벌겋게 달아올랐다. 탄산음료를 더 마셨다. 불안하고 절망적인 기분을 가라앉히려고 숨을 크게 들이마셨다가 천천히 내쉬었다.

음악이 점점 더 크게 들리는 것 같았다. 내가 자리에서 일어서자 디젤도 껑충거리며 일어났다. 춤이나 출까? 음악에 맞춰 발을 살짝 움직였다. 몸도 약간 흔들어 보았다. 그런데 혼자 춤을 추려니 뭔가 어색한 기분이 들었다.

나는 수영장 계단을 내려가 물속으로 들어갔다. 디젤이 촉촉한 코로 내 등을 슬쩍 찔렀다. 수영장에는 이미 일곱 명이나 들어가 있어서 물이 사방에서 튀었다.

슈욱! 시몬이 수링을 번쩍 들어 올렸다가 장난스레 물속으로 내던졌다. 수링의 얼굴이 머리카락으로 완전히 덮였다. 수링은 눈을 깜박여 물기를 털어 낸 뒤 항의의 표시로 시몬의 가슴을 살짝 밀쳤다.

단 십 초라도 저런 관심을 받을 수 있다면, 나도 얼마든지 저렇게 물에 빠질 수 있을 듯했다. 내 머리카락이 물에 젖어 지금보다 더 심하게 곱슬거린다 해도 말이다.

수링의 스피커에서 기계음이 섞인 시끄러운 음악이 흘러나왔다. 나는 음악에 맞춰 춤을 추면서 시몬에게 다가갔다. 뼈가 부러지지 않는 선에서 엉덩이를 최대한 크게 돌리며 몸을 흔들었다.

그런데 그 순간, 시몬이 수링을 물 밖으로 들어 올리며 그 애의 눈을 아주 그윽하게 바라보았다. 금방이라도 수링에게 키스를 할 것만 같았다.

나는 차마 계속 바라볼 수가 없어서 물속으로 스르르 가라앉았다. 내겐 도무지 희망이 없었다. 모두들 뮤직비디오나 탄산음료 광고에 나오는 사람들처럼 서로에게 물을 튀기며 즐겁게 웃고 떠들었다.

별안간 여기서 벗어나고 싶다는 생각이 들었다. 허우적거리며 계단으로 올라가 물 밖으로 나갔다. 슬리퍼를 신고 윗도리를 걸친 뒤 수건을 들고 오두막 뒤편으로 갔다. 그곳에서 혼자 밤새 버티는 것도 나쁘지 않을 듯했다.

디젤이 내 주위를 뛰어다니며 왈왈 짖었다. 계속 짖었다면 사람들의 관심을 끌었을지도 모르지만, 곧 땅속의 구멍을 발견하고선 그것을 파헤치는 데 집중했다. 디젤이 파헤친 흙이 사방으로 튀었다.

나는 옆집의 이층 창문을 흘깃 보았다. 다행히 주름진 할머니의 얼굴은 보이지 않았다.

위험해!

바로 그때, 수영장에서 나는 소음 사이로 차 문이 쾅 닫히는 소리가 들렸다.

"경찰이다!"

모건이 소리쳤다. 이윽고 대문 밖에서 낯선 사람의 목소리가 났다.

"안에 누가 계십니까? 이웃에서 항의가 들어와서요."

갑자기 옆집 이층 창문에서 주름진 할머니의 얼굴이 나타나더니, 나를 보며 흡족한 표정을 지었다. 할머니는 고개를 끄덕끄덕하면서 손가락으로 나를 가리켰다.

"여기에도 있어요!"

할머니가 경찰들한테 내가 어디 있는지 알려 주고 있었다. 하지만 경찰들에게는 할머니의 목소리가 들리지 않는 듯했다. 말하자면 내게 도망칠 기회가 있는 셈이었다.

나는 계속 구멍을 파며 흙을 사방으로 날려 보내고 있는 디젤 옆에 쪼그리고 앉아 나지막이 말했다.

"디젤, 이 구멍으로 빠져나가!"

나는 디젤의 엉덩이에 손을 얹고서 힘껏 밀었다. 디젤은 울타리 반대편으로 쑥 빠져나갔다. 이제 내 차례였다. 나는 수건을 울타리 밑의 구멍 안으로 밀어 넣었다.

그런데 이번만큼은 내가 너무 커서 그 사이로 쉽사리 들어갈 수가 없었다. 차라리 위로 올라가는 편이 나을 듯했다. 한쪽 발을 울타리 아래쪽 가로대에 올린 다음, 위쪽 가로대를 향해 손을 쭉 뻗었다. 그러고는 몸을 들어 올려 한쪽 다리를 울타리 반대편으로 넘겼다.

"디젤, 어서 나가자."

순간, 디젤의 긴 목줄이 내 옷과 함께 도넛 상자 옆에 있다는 사실이 떠올랐다. 버스나 오토바이가 지나갈 때 디젤의 목에 채워져 있는 짧은 목줄을 꼭 잡고 있으면 괜찮지 않을까? 이 상황에서 더 이상 모험을 할 순 없었다.

나는 낡은 수건을 쭉 찢은 뒤 한쪽 끝을 돌돌 말아서 쭉 늘인 다음 디젤의 목줄에다 끼웠다. 손으로 잡아서 당길 수 있는 정도의 길이가 되었다.

"디젤, 가자."

내가 허벅지를 툭툭 치자, 디젤이 내 옆에서 다소곳이 따라왔다. 목줄은 제법 쓸 만했다. 수건으로 만들었어도 크게 문제가 되지는 않았다.

이웃집 마당을 서둘러 지나간 다음 뒤를 돌아보니, 옆집 할머니가 내게 종주먹을 대고 있었다.

비엔나소시지 소녀는?

"그 애는 신경 쓰지 마."

우리는 곧 경찰차에서 멀어졌다. 서서히 해가 지고 있었다. 다행히 근처에는 버스나 자동차가 보이지 않았다.

나는 고즈넉한 풍경을 보면서 잠시 생각에 잠겼다. 이대로 곧장 집으로 가서 엄마에게 모건과 다퉜다고 말할까? 어차피 엄마는 남의 집 수영장에서 남자애들과 어울려 작은 파티를 열었다는 사실을 영영 모를 것이다.

모건이 나중에 내 짐을 갖다 주기만 한다면 모든 게 완벽할 듯했다. 물론 모건이 이 일로 감옥에 들어가거나 외출 금지를 당하지만 않는다면 말이다.

사실은 두 번 다시 모건과 마주치고 싶지 않았다. 모건이 디젤을 좋아하는 것도 거짓인 듯만 싶었다. 게다가 시몬은 저녁 내내 나랑 말 한 마디도 하지 않았고, 내가 가져온 도넛도 먹으려 하지 않았다. 그렇다고 시몬을 탓할 순 없었다. 키도 크고 예쁜 여자애들이 주위에 널려 있는데, 어떻게 나 같은 아이한테 관심을 기울여 달라고 할 수 있을까?

여기서 탓할 사람은 오로지 모건뿐이었다. 남자애들이 온다고 미리 말해 주지 않았으니까. 심지어 시몬이 나를 좋아한다고 거짓말까지 했다. 천재 소녀니 범생이 땅콩이니 하면서 애들이 놀릴 때 내 편을 드는 척한 것도 결국은 다 톰을 꾀려고 그랬을 것이다.

디젤이 골목 끝에 서서 망설이더니 수영장 쪽으로 몸을 돌렸다. 그러고는 바닥에 앉아 한쪽 귀는 올리고 한쪽 귀는 내린 채 나를 보며 낑낑거렸다.

비엔나소시지 소녀는?

"모건은 절대로 나처럼 곤경에 빠지지 않을 거야. 장담하건대 모건의 엄마는 수영장에 남자애들이 있었다는 걸 알게 되어도 크게 신경 쓰시지 않을걸?"

디젤이 낮게 짖었다. 나는 수건 끝을 꽉 잡았다. 길을 건널 때마다 디젤은 나를 위해 점잖게 앉아 신호를 기다렸다.

날이 점점 어두워졌다. 잠깐이나마 모건을 내 친구로 생각하다니……, 정말이지 어리석기 짝이 없었다. 솔직히 인정하고 싶진 않지만, 디젤이 지금처럼 순순히 잘 따라오게 된 건 모건의 도움이 컸다. 어쩌면 모건은 디젤 때문에 나와 어울렸을지도 모르겠다. 순전히 킹이 그리워서.

눈시울이 뜨거워졌다. 나는 고개를 절레절레 흔들었다.

비엔나소시지 소녀를 오해하고 있는 거야.

디젤이 갑자기 걸음을 뚝 멈췄다. 길 건너 잔디밭에 귀를 쫑긋 세우고서 앉아 있는 커다란 갈색 토끼가 보였다. 토끼와 디젤은 잠시 서로를 빤히 쳐다보았다.

토끼가 디젤을 놀리기라도 하듯, 복슬복슬한 꼬리를 이리저리 흔들어 대면서 잔디밭을 가로질러 껑충껑충 뛰어갔다. 순간, 수건이 툭 찢어지는 소리가 났다. 나는 얼른 디젤의 짧은 목줄을 움켜잡았다.

"안 돼!"

손톱이 뒤로 휘어졌다. 더는 버틸 수가 없었다. 디젤이 앞으로 쏜살같이 달려갔다.

어쩌면 디젤은 괜찮을지도 몰랐다. 저녁 내내 우리 옆으로 자동차나 오토바이가 한 대도 지나가지 않았기 때문이다. 이곳은 버스가 다니는 길도 아니었다.

그런데 그때, 마치 악몽처럼 빨간색 스마트 자동차가 나타났다. 디젤은 정말로 자신의 운명을 피할 방법이 없는 걸까? 스마트 자동차는 브레이크를 밟거나 경로를 바꾸지 않았다. 그저 디젤을 향해 속도를 내었다.

"멈춰!"

나는 소리를 지르며 얼굴을 두 손으로 가렸다. 하지만 그 차는 속도를 줄이지 않고 그대로 내달렸다. 곧이어 쿵 하는 소리와 함께 디젤의 몸이 바닥에서 데굴데굴 굴러가는 소리가 들렸다.

"디젤!"

그때 모건이 내 옆으로 달려오며 소리쳤다.

"스마트 자동차 봤어! 나오미, 네 꿈이 맞았어!"

얘는 대체 어디서 튀어나온 거지? 이게 다 네 탓이라며, 고래고래 소리를 지르고 싶었다. 하지만 모건은 내 옆을 지나 곧장 도로로 달려갔다.

"아직 숨을 쉬고 있어. 도로 옆으로 옮겨야 해."

나도 모건 옆으로 허겁지겁 뛰어갔다. 몸을 일으키려고 버둥거리는 디젤을 보고 있자니 눈앞이 뽀얗게 흐려졌다.

아, 아야, 아야. 엉덩이가 아파!

"디젤, 가만히 있어야 돼!"

모건이 한 손으로 디젤의 목을 살짝 누르며 움직이지 못하게 했다. 그러고는 다른 손으로 가방에서 수건을 꺼냈다.

"이것 좀 펼쳐 줘."

나는 손가락 하나 까딱할 수 없었다. 가슴이 오르락내리락하기는 했지만 도저히 숨이 쉬어지지 않았다.

"나오미, 정신 차려! 디젤한텐 지금 네가 필요해."

나는 넋이 나간 상태로 수건을 바닥에다 펼쳤다.

"셋에 같이 디젤을 들어서 수건 위로 옮기자. 네가 어깨를 잡아. 하나, 둘, 셋, 조심!"

디젤이 내 눈을 멀거니 바라다보았다.

여자 대장한텐 말하지 마!

'엄마한테 말하지 말라고?'

"너를 지키지 못했어. 미안해. 내가 실패한 거야."

나는 흐느끼면서 웅얼거렸다. 그러자 모건이 말했다.

"아니야, 실패하지 않았어. 저기 좀 봐! 순찰차가 오고 있어. 내가 잡을게."

모건은 철도 건널목 차단기처럼 한쪽 팔을 위아래로 빠르게 움직였다. 그러다 소리를 지르며 순찰차를 향해 쏜살같이 달려갔다.

그걸 보는 순간, 심장이 멈춰 섰다. 모건이 지금 제정신인가? 순찰차가 모건을 못 보고 제때 멈추지 않으면 어떡하지? 상황이 더 나빠질 수도 있었다.

다행히 순찰차가 방향을 바꾸며 브레이크를 끼익 밟았다. 심장이 다시 벌떡벌떡 뛰기 시작했다.

"포사이스 경찰관님, 제 친구네 개를 좀 도와주실 수 있을까요? 차에 치였어요."

나는 모건의 말이 잘 들리지도 않았고, 도무지 이해할 수도 없었다. 그냥 디젤이 내 품 안에서 죽어 가고 있는 것 같아서 두렵기만 했다.

경찰관이 순찰차의 뒷문을 열었다. 그러고는 이쪽으로 다가와 수건 밑으로 양팔을 집어넣었다. 디젤의 머리와 다리가 아래로 툭 떨어졌다. 그래도 디젤은 계속해서 나와 눈을 맞추었다.

축 처진 디젤을 보자, 덜컥 겁이 났다.

"제발, 제발, 괜찮아야 해."

너무 피곤해.

포사이스 경찰관이 디젤을 뒷좌석에 태웠다. 나도 따라 들어가 디젤 옆에 앉았다. 디젤이 내 허벅지 위로 머리를 올렸다. 모건도 옆에 쪼그리고 앉았다. 디젤의 뜨거운 입김이 다리에 와닿았다. 디젤이 아직 살아 있다는 사실에 절로 감사한 마음이 들었다.

"디젤."

나는 나직이 이름을 부르며 디젤의 머리를 쓰다듬었다.

경찰관이 무전기에 대고 지금 동물병원으로 가야 한다고 말했다. 나는 무전기 너머의 누군가가 우리를 돕지 말라는 명령을 내릴까 봐 마음이 조마조마했다. 하지만 경찰관은 곧 사이렌을 울렸고, 우리는 동물병원으로 향했다.

나는 몸을 구부려 디젤의 귀에 대고 나직이 속삭였다.

"너 없이 내가 어떻게 해?"

디젤이 고개를 돌려 내 얼굴을 핥았다. 나도 디젤의 입 옆으로 입을 맞추었다.

내 인생에서 가장 긴 십 분을 달린 뒤, 마침내 순찰차가 동물병원 응급실 앞에 멈춰 섰다. 포사이스 경찰관이 재빨리 내려 디젤을 들어 올리고는 주차장을 가로질러 뛰어갔다.

모건은 경찰관보다 먼저 뛰어가 병원 문을 미리 열었다. 나는 디젤을 눈으로 좇으며 제발 숨이 계속 붙어 있기를 간절히 바랐다.

대기실로 들어가자, 접수 창구의 직원이 자리에서 일어나 뒤에 있는 누군가에게 소리를 쳤다. 그러고는 우리를 향해 말했다.

"이리 오세요."

우리가 따라 들어간 곳은 부엌처럼 생긴 작은 방이었다. 스테인리스 스틸로 된 검사대가 한가운데에 놓여 있었다. 포사이스 경찰관이 디젤을 검사대 위에 내려놓았다. 평소 같으면 기겁을 하고도 남았을 텐데, 디젤은 차가운 검사대 위에 얌전히 누워 있었다.

'디젤, 나 여기 있어.'

"바로 부모님들께 연락할 거지? 나는 지금 가 봐야 해서 말이야."

경찰관이 자세를 바로 하며 물었다. 모건이 고개를 끄덕였다.

"그럼 행운을 빈다."

포사이스 경찰관이 손으로 모자를 툭 쳤다.

여자 대장한테 전화하지 마!

"디젤, 왜? 왜 하지 말라는 거야?"

내가 소리 내어 물었다.

나는 잠이 오는 바늘을 맞을 거야.

'네가 그걸 어떻게 알아? 진짜로 지난번에 무슨 일이 있었던 거야?'

디젤은 더 이상 대답하지 않았다. 그런데 디젤 말이 맞을 것 같았다. 우리 부모님은 병원비를 감당할 수 없어서 디젤을 안락사시키자고 할지도 몰랐다.

곧이어 흰 가운 차림의 수의사가 안으로 들어왔다.

"대기실에서 기다리고 있어. 상태가 어떤지 진찰해 보고 나서 말해 줄게."

우리는 수의사가 시키는 대로 대기실로 가서 진찰 결과를 기다렸다. 몸이 바들바들 떨리기 시작했다.

"이거 입을래?"

모건이 가방에서 내 옷을 꺼내 던져 주었다. 나는 반바지를 입었다. 스웨터가 있으면 좋겠다는 생각이 들었다. 이가 계속해서 덜덜 떨렸다.

"이거 빌려줄까?"

모건이 가방에서 추리닝 윗도리를 꺼내 내게 내밀었다.

"고마워."

"엄마한테 전화하고 싶으면 해."

모건이 휴대폰을 내밀며 말했다.

"아니, 디젤한테 치료가 필요한 상황이라면……, 우리 엄마는 수의사한테 안락사시켜 달라고 부탁하실지도 몰라.”

“그건 알 수 없지.”

“모건, 우리 집엔 돈이 없어. 이번 달에 이모네 집으로 들어가 같이 살기로 했단 말이야.”

“루앤 돌본 값을 받았잖아.”

“그래, 은행에도 내 돈이 있지. 하지만 엄마가 은행에서 돈을 찾아 디젤을 살리도록 가만두실 것 같지가 않아. 이런 상황에서 모험을 할 순 없어.”

나는 고개를 절레절레 흔들었다.

“우리 엄마한테 전화해 볼까?”

“그러면 우리 엄마 귀에도 들어갈걸?”

“일리가 있는 말이야.”

모건이 얼굴을 찡그리다 코를 톡톡 두드리며 말을 이었다.

“다른 방법이 하나 더 있기는 해. 사실은 사고를 낸 사람이 이 일에 책임을 져야지. 그러려면 수의사한테 말을 잘해서 내일까지는 시간을 좀 끌어야 해. 어때, 할 수 있을 것 같아?”

“수의사가 디젤을 살릴 수 있을지 없을지도 아직 모르잖아.”

나는 고개 숙인 채 바닥의 얼룩덜룩한 타일을 내려다보았다. 왠지 손톱을 물어뜯고 싶어졌다. 하지만 이번에도 그 장미 스티커가 뜯지 못하게 했다.

“꽤 오래 걸리네.”

“좋은 징조야. 지난번에 킹하고 왔을 때는 수의사가 곧장 나와서 안락사시켜야 한다고 했거든."

"글쎄, 난 잘 모르겠어."

나는 손가락에서 눈을 떼고 벽을 올려다보았다. 포스터 속 강아지가 슬픈 표정으로 밖을 내다보고 있었다. 그리고 그 옆에는 이런 문구가 적혀 있었다.

오직 당신만이 반려동물을 심장사상충으로부터 구할 수 있습니다.

모건이 물었다.

"참, 아까는 왜 밖으로 나간 거야? 디젤한테 목줄도 하지 않고."

"경찰이 왔잖아."

이렇게 말하고 보니까 내가 정말 못난이처럼 느껴졌다.

"내가 그 아이들 무리에 속해 있었던 것도 아니고."

나는 심장사상충 포스터를 멍하니 쳐다보았다. 문구가 이렇게 바뀐 것 같았다.

오직 당신만이 반려견을 차 사고로부터 구할 수 있습니다.

포스터 속 강아지의 갈색 눈이 나를 비난하는 듯했다. 마치 아까 모건의 질문처럼.

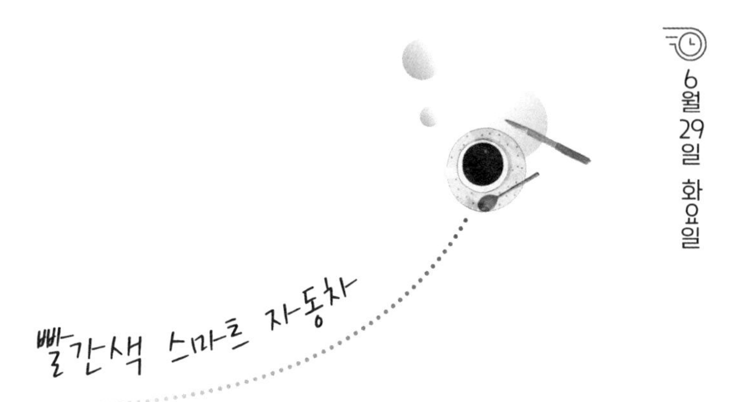

경찰이 조사하는 동안 모건과 함께 수영장에서 기다렸다면, 디젤은 긴 목줄을 하고서 밖으로 나갔을 것이다. 그러면 토끼와 마주치지 않았을지도 모른다. 설령 디젤이 토끼를 보고 목줄을 잡아당겼다 해도, 그 스마트 자동차는 이미 오래전에 그곳을 지나갔을지도 모르고.

너무나 후회가 되었지만, 그렇다고 해서 달라지는 건 아무것도 없었다.

"무슨 소리야? 그 무리에 속하지 않았다니! 내 진정한 친구는 너밖에 없는데."

모건이 말했다.

"거긴 너네 집도 아니잖아. 우리는 남의 집 수영장에서 파티를 하고 있었던 거지."

"포사이스 경찰관은 다 이해해 주던걸. 루치 삼촌한테 이미 허락을 받았다고 잘 설명했거든. 다른 사람들을 초대해도 된다고 했단 말이야. 음악 소리만 좀 줄이면 되는 거였어."

"너희 삼촌한테 허락을 받은 거였다고?"

나는 놀란 얼굴로 모건을 쳐다보았다.

"당연하지."

나는 털이 많은 거구의 오토바이 폭주족 아저씨를 떠올렸다가 재빨리 고개를 흔들었다.

"포사이스 경찰관이 떠난 뒤에야 네가 없어진 걸 알았어. 걱정이 돼서 모두 집으로 돌려보내고 너를 찾으러 나선 거야."

"나는 괴짜가 된 기분이었어. 너에게 공부를 가르쳐 준 천재 소녀라니……."

"너, 괴짜 맞아! 아주 그냥, 하도 똑똑해서 기분 좋으시겠어요."

"그래서 다들 나를 무시했어."

"톰을 남자 친구로 만들려고 애쓰고 있었는데, 그걸 망쳐 줘서 아주아주 고마워. 너는 시몬하고 이야기하기로 했잖아! 고등학교 들어가면 남자 친구 사귀기로 했던 계획, 기억 안 나?"

"그건 내 계획이 아니었어. 게다가 시몬은 수링한테만 관심을 보였다고. 그 여자애들은 전부 다 너무 화려하고 눈부셔."

"그 애들은 시몬의 정신을 딴 데로 돌리는 법만 알고 있어. 너는 똑똑하고 예뻐. 그러니까……."

나는 모건의 말을 끊고 자리에서 일어났다. 때마침 수의사가 밖으로 나왔기 때문이다.

내가 물었다.

"디젤은 괜찮아요?"

수의사가 미소를 지으며 고개를 끄덕였다.

"운이 아주 좋았어. 방금 안정시켜 놓고 나왔지. 혈압이나 맥박, 호흡, 체온…… 다 괜찮아. 그런데 골반 부위에 작은 골절이 있는 것 같아서 엑스레이를 찍어 봐야 할 것 같아. 부모님께는 전화했니?"

"아직은 아니에요. 하지만 걱정하지 마세요. 병원비는 내가 낼 수 있어요. 통장에 돈이 있거든요."

"음, 디젤은 지금 안에서 편안하게 푹 쉬고 있어. 그래서 하룻밤 더 지켜보면서 관찰했으면 해. 부모님이 괜찮다고 하시면 네가 서류를 작성해도 되고."

"고맙습니다!"

나는 두 손을 맞잡으며 말했다. 모건이 원하던 대로 하룻밤이라는 시간을 벌었다. 내가 모건에게 물었다.

"병원 진료비가 얼마나 나올까?"

"디젤을 안정시키는 데 800달러. 거기에 하룻밤 입원하고 엑스레이 찍고 이런저런 치료까지 다 합하면, 거의 2,000달러 가까이 나올 것 같아."

나는 침을 꿀꺽 삼켰다. 내 통장에 있는 돈을 다 꺼낸 뒤 루앤을 돌본 값을 보태어도 20달러가 부족했다. 그래도 어찌 됐든 할 수 있을 듯했다. 디젤을 구할 수만 있다면, 이번 여름이 좋은 방향으로 흘러갈 것 같았다.

"디젤을 도와줘서 정말 고마워."

내 말에 모건이 미소를 지으며 손을 내저었다. 그러고는 접수대 뒤쪽에 있는 사무실에 갔다 오더니 목소리를 낮춰 내게 말했다.

"자, 얼른 서류를 작성해. 그리고 가능한 한 빨리 우리의 계획을 실행해야지."

나는 재빨리 질문에 대한 답을 적어 내려갔다. 이름, 집주소, 전화번호, 디젤의 이름, 나이, 그리고 품종. '티라노사우루스', 모건이 옆에서 이렇게 말했지만, 나는 '오스트레일리아 목축견'이라고 적었다. 체중? 아……, 약 23킬로그램. 중성화 수술을 받았냐고? 네. 예방 주사? 네. 하지만 날짜까지는 정확히 모르겠다. 그런 다음 서류를 접수 창구의 직원에게 주었다.

그러고 나서 모건에게 물었다.

"이제 어떡해? 이 지역 버스 노선을 알고 있어?"

"아니, 택시를 타자. 시간이 촉박할 수도 있으니까."

나는 빤히 모건을 쳐다보았다.

"어디로 가는데?"

"웨스트데일가. 너한테 말은 안 했지만, 그때 공원에서 봤던 그 스마트 자동차가 어디 있는지 알거든. 차가 조금 찌그러져 있거나 범퍼에 디젤의 DNA가 묻어 있을지도 몰라. 그 운전자를 만나러 가는 거야."

"그게 좋은 아이디어라고 생각해? 그 운전자가 폭력적인 사람이라면?"

"그러면 더 좋은 아이디어가 있어?"

나는 고개를 가로저었다.

"택시를 부를게."

모건이 휴대폰에 대고 이런저런 말을 하더니 전화를 끊고 내게 말했다.

"오는 중이래."

우리는 밖으로 나가 택시를 기다렸다. 그새 더위가 한풀 꺾였다. 맑은 밤하늘에는 보름달이 휘영청 떠 있었다. 그런데 지금 몇 시쯤 됐을까? 당연히 내 시계는 '7월 1일, 목요일, 4시 30분'을 표시하고 있었다. 아마도 10시는 되었을 것이다.

오래지 않아 택시가 도착했다. 우리는 서둘러 택시에 올라탔다.

"어디로 가니?"

"음, 웨스트데일가요."

모건이 정확한 주소를 말하지 못하자, 운전기사가 의심스러운 눈빛으로 우리를 보았다.

"죄송해요. 그 집 앞에는 하얀색 장식용 기둥들이 있고, 벽에는 담쟁이덩굴이 자라고 있어요. 2638번지거나 2338번지일 거예요."

"돈은 있니?"

"그럼요."

모건이 20달러짜리 지폐를 허공에 대고 흔들었다. 운전기사가 뭐라고 중얼거리더니, 내비게이션에 주소를 입력했다.

그런데 스마트 자동차의 운전자가 지금 집에 없으면 어떡하지? 혹시라도 도시 외곽을 달리고 있다면? 그 운전자는 왠지 몹시 허둥거리는 것처럼 보였다. 그게 아니라면 제때 멈춰서 디젤을 차로 치지 않았을 것이다.

얼마쯤 달렸을까? 웨스트데일가로 접어들자, 모건이 운전기사에게 부탁했다.

"여기서부터는 좀 천천히 가면 안 돼요?"

커다란 떡갈나무들이 줄지어 서서 머리 위에 차양처럼 드리웠다.

"왜 안 되겠니? 해 달라는 대로 해 줘야지."

택시는 주택가 사이를 천천히 지나갔다.

"바로 저기예요!"

모건이 대뜸 소리쳤다. 아니나 다를까, 높은 울타리 너머로 빨간색 스마트 자동차가 보였다. 그 집에는 차고가 세 개나 있었지만, 그 차는 차고 밖에 서 있었다.

"고맙습니다. 잔돈은 가지세요."

모건이 운전기사에게 택시비를 건넸다. 우리는 택시에서 후다닥 뛰어내렸다.

"택시비는 나중에 갚을게."

내가 조그맣게 말했다. 그때 모건이 조수석 쪽 헤드라이트를 가리켰다.

"여기 좀 봐!"

헤드라이트가 깨져 있었다. 모건은 가방에서 연필과 종이를 꺼낸 뒤 차량 번호를 적었다. 그러고는 현관문 앞으로 가서 초인종을 눌렀다. 베토벤 교향곡 5번 〈운명〉의 첫 소절이 흘러나왔다. 왠지 으스스하게 들렸다.

모건과 나는 서로를 바라보았다. 시간이 한참 지나도 아무런 반응이 없었다. 초인종을 한 번 더 눌렀다.

잠시 후 동그란 얼굴에 무테안경을 쓴 아줌마가 문을 열어 주었다.

"너희들, 늦게까지 돌아다니는구나. 그래, 이번에는 뭘 위해 모금을 하는 거니?"

"이 집 스마트 자동차가 한 시간 전에 뺑소니를 쳤거든요. 차량 번호를 알고 있어서 경찰에 바로 신고해도 되지만, 그 전에 운전자와 먼저 이야기를 나눠 보고 싶어서요."

우아! 나는 모건 때문에 숨이 멎을 뻔했다. 다시는 모건을 멍청하거나 성가신 존재로 여기지 않겠다고 다짐했다.

"세상에!"

아줌마가 한 손으로 입을 가리더니, 곧장 집 안으로 들어가며 소리쳤다.

"섬머! 당장 이리 내려와!"

우리는 하얀 대리석이 깔린 현관으로 들어섰다. 높은 천장과 상들리에를 지나자 둥글게 휘어진 떡갈나무 계단이 보였다. 곧이어 그 계단으로 하이힐에 청바지를 입은 여자가 또각또각 발소리를 내며 내려왔다.

파란색 눈동자에 검은 마스카라가 살짝 번져 있었다. 목에는 금으로 만든 로켓 펜던트 목걸이가 반짝였다.

"교통 사고를 내고 도망쳤다는 게 사실이니?"

아줌마가 섬머에게 물었다.

"아니야!"

섬머는 잠시 망설이다가 말을 이었다.

"브로드웨이에서 차 밑으로 쿵 하는 소리가 들리기는 했지만, 아스팔트에 생긴 구멍에 빠진 줄 알았다고."

"무슨 일인지 차를 세우고 확인하지도 않았어요."

내가 말하자 모건이 거들었다.

"차를 엄청나게 빨리 몰았어요. 어떻게 그럴 수가 있죠?"

"혹시 누가 다친 거니?"

아줌마가 걱정스런 얼굴로 물었다.

"저희 집 개가요. 골반 쪽 뼈가 부러진 것 같아요."

내 입술이 절로 비죽여졌다.

"동물병원에 오셔서 청구서에 서명을 해 주셨으면 좋겠어요."

모건이 미소를 깔끔히 지운 얼굴로 단호하게 말했다.

"엄마, 난 사고가 난 줄 몰랐어. 진짜야! 차바퀴가 구멍에 빠진 줄 알았다니까. 헤스 빌리지에서 술을 조금 마신 뒤여서 차를 세울 수가 없었다고."

아줌마가 고개를 절레절레 흔들었다.

"그러니까 음주 측정을 피하려고, 무슨 일이 일어난 건지 차를 세워서 확인하지도 않았단 얘기니?"

섬머는 아무 대답이 없었다. 어깨가 한 번 올라갔다가 힘없이 내려왔다. 곧이어 볼을 타고 눈물이 주르르 흘러내렸다.

"미안해."

섬머가 우물거리며 말하자 모건이 대답했다.

"아주 위험한 상황이었어요. 내 친구를 칠 수도 있었다고요. 그 개를 쫓아가고 있었거든요."

정말로 그랬다. 디젤과 나, 둘 다 다칠 수 있었다. 아니면 둘 다 죽거나.

아줌마가 딸을 물끄러미 바라보다가 우리에게 말했다.

"당장 동물병원에 가 보도록 할게. 치료비는 전부 섬머가 부담할 거야. 마땅히 그래야지."

두 사람 다 그리 나빠 보이지는 않았다. 우리는 디젤을 친 줄 몰랐다고 한 섬머의 말을 일단 믿기로 했다.

섬머는 동물병원으로 가는 내내 엉엉 울었다. 진심으로 미안해하는 것 같았다. 하지만 운전자로서 섬머는 정말이지 형편없었다. 게다가 이 자동차는 지난번에도 디젤을 죽였다. 그래서인지 섬머가 같은 실수를 두 번 저지른 것처럼 느껴졌다.

섬머는 동물병원 수납 창구에서 신용 카드 번호를 알려 주었다. 그리고 아줌마는 우리를 모건네 집으로 데려다주었다. 자동차 계기판의 시계가 11시 30분을 가리키고 있었다.

모건네 집은 현관문에 달린 조명을 제외하고는 불이 전부 꺼져 있었다. 나는 선뜻 초인종을 누르고 싶지가 않았다. 모건의 엄마를 깨워 일을 복잡하게 만들고 싶지 않았기 때문이다.

"이건 내 명함이야. 디젤의 상태가 어떤지 전화로 알려 줘."

"네, 그럴게요. 어서 가세요. 우리도 바로 들어갈 거예요."

모건은 이렇게 말하며 현관문을 열었다.

아줌마는 곧 차를 몰고 떠났다. 나는 크림색 명함을 물끄러미 내려다보았다. '존슨 앤 피터스, 변호사'라고 적혀 있었다.

"변호사처럼 보이지 않았는데……. 어쨌든 치료비를 내주기로 해서 정말 다행이야. 운이 좋았어."

나는 모건에게 명함을 주었다.

모건은 현관으로 들어가더니, 검지를 입술에 살며시 갖다 대었다. 그러고는 나직이 속삭였다.

"오늘은 정말 운이 좋네."

그러고는 짐짓 입을 삐죽거리며 고개를 들어 나를 잠깐 쳐다보았다.

"수영장에 나만 남겨 두고 가 버리다니! 참, 나! 아직도 믿기지가 않아."

"너는 톰이랑 노느라 바빴잖아. 나는 내내 혼자였고."

"하지만 너를 위해 시몬을 불렀잖아!"

모건은 이렇게 말한 뒤, 까치발을 하고서 조심조심 걸어갔다.

"시몬은 나를 본 척도 안 했어. 시몬은 나를 좋아하지 않아."

나는 모건을 뒤따라가며 속삭였다. 그러자 모건이 걸음을 뚝 멈추고 뒤를 돌아보았다.

"내가 전에 말했지? 시몬은 너를 아주 매력적인 애라고 생각한다고."

나는 양쪽 눈썹을 추켜올렸다. 아무리 생각해도 모건이 전에 이렇게 말한 적은 없는 것 같았다.

"시몬은 너처럼 똑똑한 여자를 좋아해. 지난번에 공원에 있는 수영장에서도 수링이 시몬한테 작업을 걸고 있었어. 네가 수영장에 안 가겠다고 빼던 그날부터 말이야. 보나 마나 수링은 시몬을 금세 지치게 할걸."

"내가 인어 공주 수영복을 입고 있었어도 시몬이 좋아했을까?"

모건이 고개를 절레절레 흔들었다.

"아니. 하지만 너는 나를 믿어야 해, 나오미."

나는 잠시 생각한 뒤 고개를 끄덕였다.

"미안해, 앞으로 그러도록 노력해 볼게."

"좋아, 네 사과를 받아들여 주지."

모건이 활짝 웃으며 말을 이었다.

"그리고 그 변호사 아줌마가 병원비를 내준 건 절대로 운이 아니었어. 우리가 그렇게 하도록 만든 거야. 우리는 진짜 훌륭한 팀이라니까."

모건이 손을 번쩍 들어 올렸다. 우리는 주먹을 툭 부딪쳤다.

이윽고 모건이 불을 켜자 소파에서 웅크린 채 잠이 든 모건의 엄마가 보였다. 우리 때문에 잠에서 깼는지, 한껏 졸린 듯한 눈을 손등으로 비볐다.

"너희 둘, 어떻게 된 거니? 디젤은 어디 있고?"

우리는 그동안 있었던 일을 전부 설명했다. 그러니까 마음이 한결 편안해졌다.

우리 엄마한테도 이렇게 말할 수 있다면 얼마나 좋을까? 아직도 엄마가 아까와 같은 상황에서 디젤을 치료했을지 잘 모르겠다. 아마도 엄마는 이렇게 말했을 것이다.

"누가 내든 간에 돈이 너무 많이 들어. 그 돈이면 소말리아 어린이 한 명을 몇 년 동안 먹여 살릴 수도 있어."

"끔찍한 일을 겪었구나! 너, 정말 괜찮니?"

모건의 엄마가 자리에서 일어나 나를 꼭 안아 주었다.

"진짜로 집에 안 가도 되겠어? 아니면 너희 엄마랑 전화 통화해 볼래?"

"아니요, 정말 괜찮아요. 걱정해 주셔서 고맙습니다."

"그럼 간식이라도 먹을래?"

간식이라는 말을 듣는 순간, 갑자기 배가 고파졌다. 모건이 전자레인지에 도넛 두 개를 데웠다. 수영장에서 남은 걸 챙겨 온 모양이었다.

"시몬이 도넛을 먹긴 했어?"

내가 물었다. 모건은 도넛 한가운데에 바닐라 아이스크림을 넣었다.

"아니, 내가 다 내쫓았지. 널 찾으러 가야 했으니까."

"미안해. 내가 다 망쳤구나."

모건은 그냥 나를 말끄러미 바라보았다. 얼굴에 미소가 희미하게 떠올랐다. 그러고는 별일 아니라는 듯 한 손을 내저었다. 왠지 모건에게 용서를 받은 것 같은 기분이었다.

"네가 그랬잖아. 자기 전에 단것 많이 먹으면 악몽을 꾼다고."

"그건 그래. 하지만 내 악몽은 미래를 알려 주는 것 같진 않아."

"나는 그 꿈을 꾸기 전에 단것을 하나도 먹지 않았어."

"만약 악몽을 또 꾸게 된다면 이것만 기억해. 그러니까……."

"내 뒤에 언제나 네가 있다고?"

"아니, 이렇게 말하려고 했어. 네 옆에 내가 있을 거라고. 그러니까 나를 깨우면 돼."

우리는 도넛을 사이좋게 나눠 먹고서 아래층으로 내려갔다. 그러고는 이불이 너저분하게 올려져 있는 모건의 침대에 나란히 누웠다.

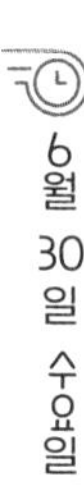

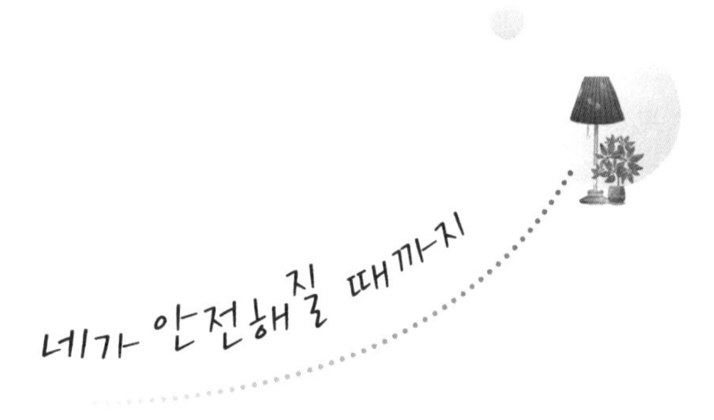

지하실의 작은 창문으로 햇빛이 새어 들어왔다. 나는 침대에서 일어나 옷을 챙겨 입고는 모건의 어깨를 살며시 흔들었다.

"모건, 나 집에 가야 해."

"어, 지금 몇 시야? 내가 바래다줄게."

"아니야, 너무 일러. 더 자. 병원에서 뭔가 얘기를 듣게 되면 바로 전화할게."

나는 후다닥 일어나서, 몇 블록 떨어져 있지 않은 집으로 부지런히 뛰어갔다.

집에 들어가자마자 부엌에 있는 전화기를 챙겼다. 엄마 방에 있는 전화기도 가지고 나왔다. 엄마가 수의사의 전화를 받지 않기를 바라서였다. 전화기 두 대를 내 침대에 올려놓고서 가만히 지켜보았다.

그러다 까무룩 잠이 든 걸까? 전화벨 소리에 화들짝 놀라서 허겁지겁 전화기를 집어 들었다.

"유감스럽게도 수술 중에 반려견이 사망했습니다."

전화를 건 사람이 누군지 도통 알 수가 없었다. 전화기 너머로 쪼글쪼글 주름진 얼굴이 떠올랐다.

"그게 무슨 소리예요? 엑스레이도 찍지 않았잖아요."

나는 고래고래 소리를 질렀다. 그러다 진짜로 잠에서 깼다. 휴, 꿈이었다. 다행히 엄마를 깨우지는 않았다.

하지만 진짜로 전화벨이 울렸을 때는 잠에 빠져 제대로 일어나지 못했다. 간신히 전화기를 집어 들었지만, 이미 엄마가 내 방으로 들어온 후였다.

"여보세요? 나오미 양인가요?"

전화기 반대편에서 누군가가 물었다.

"네."

"동물병원이야."

"디젤은 어때요?"

순간, 엄마 눈이 휘둥그레졌다.

"다행히 괜찮아. 오늘 아침에 큰 그릇에 담긴 사료를 다 먹었고, 고양이한테 왈왈 짖기까지 하던걸."

나는 그제야 안도하며 미소를 지었다. 그러고는 침을 꿀꺽 삼킨 뒤 숨을 깊게 들이마시고서 다시 물었다.

"엑스레이 결과는 어때요?"

엄마가 점점 미간을 찌푸리며 두 손을 양쪽 허리에 얹었다.

"골절은 없었어. 참 다행이지. 그런데 왼쪽 엉덩이와 뒷다리 사이가 심하게 긁혀서 꽤 쓰라릴 거야. 일단은 붕대로 감아 놨어. 이제 데려가도 돼."

"고맙습니다."

"천만에. 그럼, 이따 보자."

나는 전화기를 내려놓고 숨을 한 번 더 깊게 들이마셨다.

"디젤한테 무슨 일이 생겼니?"

엄마가 물었다.

"음, 어제…… 산책하러 나갔다가 토끼를 봤는데, 디젤이 쫓아가다가 차에 치였어요. 하지만 괜찮아요. 작은 차였거든요. 운전자가 치료비를 다 낼 거고요."

나는 어름어름 뜸을 들이며 말하다가 서둘러 마무리 지었다.

"작은 차?"

엄마가 손끝으로 이마를 문질렀다.

"네, 스마트 자동차요."

엄마가 고개를 저었다.

"왜 전화하지 않았니?"

"엄마가 수의사에게 디젤을 안락사시켜 달라고 하실 것 같아서요."

"디젤이 너무 많이 다쳐서 몹시 고통스러워한다면……."

"치료비가 2,000달러 가까이 나올 거예요."

엄마의 두 눈이 또다시 커다랗게 벌어졌다.

"이제 괜찮아요. 모건이 도와줘서 운전자를 찾았거든요."

"찾았다니? 그 운전자가 달아나기라도 했다는 거야? 사고를 내고서 차를 세우지도 않았어?"

"음주 측정을 하고 싶지 않았대요."

"그런 일은 너 혼자 감당하기에 너무 위험해."

엄마가 고개를 절레절레 흔들었다.

"혼자가 아니에요, 엄마. 모건이랑 같이 있었어요."

엄마가 고개를 들고 내 눈을 바라보았다. 엄마의 눈가가 촉촉히 젖어 있었다.

"너를 도울 수 있었다면 좋았을 텐데."

"음, 도울 수 있어요. 혹시 아빠, 아직 여기 계세요?"

"아니, 왜?"

로맨틱한 데이트는 결국 실패로 끝난 모양이었다. 나는 한숨을 푹 내쉬었다.

"아빠한테 전화 좀 해 주시겠어요? 지금 디젤을 데리러 가야 해서요."

내 말에 엄마는 전에 없이 다정하게 아빠와 전화 통화를 했다. 아빠는 디젤의 소식을 듣고 많이 놀랐는지 허겁지겁 집으로 달려왔다.

나는 아빠와 둘이서 동물병원으로 출발했다. 차 안에서 아빠가 말했다.

"내가 디젤을 얼마나 좋아하는지 알지? 무슨 일이 있었는지, 엄마랑 아빠한테 미리 말해 줬더라면 좋았을 텐데."

"나도 그러고 싶었어요. 하지만 돈 때문에……."

"그건 너무 위험한 행동이야. 너희 둘이서 운전자 집까지 찾아가다니."

아빠가 나를 흘끗 보더니, 한 손으로 내 무릎을 톡톡 두드렸다.

"나오미, 우린 지금 파산 상태야. 이건 부인할 수 없는 사실이지. 하지만 다 극복할 수 있을 거라고 믿어. 서로 머리를 맞대고 상상력을 발휘한다면 말이야."

아빠가 손가락으로 자신의 머리를 가볍게 두드렸다.

"너희 엄마는 나와 함께 있는 걸 더는 원하지 않는 것 같아. 같이 본 영화도 좋아하지 않았고, 포장해 간 음식도 마음에 들어하지 않았어."

아빠 눈가에 주름이 깊게 잡혔다. 아빠가 엄마를 위해 어떻게 바뀌었는지 엄마에게 보여 줄 수만 있다면, 엄마를 설득하는 데 도움이 될 텐데.

"조금 전에 아빠가 말씀하셨듯이, 아빠는 상상력을 좀 발휘하셔야 해요. 엄마는 무엇이든 돈이 들지 않는 걸 좋아하잖아요."

"알았어, 나오미. 네 말을 참고해서 로맨틱한 일을 좀 더 찾아보도록 할게."

"아빠, 저기가 병원 입구예요."

우리는 주차를 마친 뒤, 나란히 병원 입구로 들어갔다.

접수 창구의 직원이 나를 보자마자 자리에서 일어서며 말했다.

“디젤을 데리고 올게. 잠시 앉아 있어.”

우리는 대기실 의자에 앉아서 얼마간 기다렸다.

아빠가 말했다.

“소풍을 가는 건 어때? 내일은 7월 1일이잖아. 너희 엄마도, 나도 쉬는 날이야.”

‘목요일!’

지난번에는 엄마와 아빠, 둘 다 쉬는 날이 아니었다. 뭔가 그때와 다르게 흘러가고 있었다. 부디 좋은 징조이길 진심으로 바랐다.

“소풍 음식을 직접 준비하시면 좋을 것 같아요. 피시앤칩스만 덜렁 사 오지 마시고요. 음, 그런데 어디로 소풍을 가실 건데요?”

“해밀턴 호숫가. 엄마랑 아빠가 처음 만났던 곳이지. 음, 에그 샐러드 샌드위치를 만들어 갈게. 네 엄마가 내 에그 샐러드 샌드위치를 엄청나게 좋아하잖니? 그리고 디저트로 아이스크림을 먹는 거야.”

해밀턴 호숫가라니! 지난번에는 모건이 나를 설득해서 그곳에 데려갔다. 그것도 공짜 아이스크림으로. 심장이 쿵쾅쿵쾅 뛰었다. 거기는 내가 물에 빠져 죽었던 곳이 아니던가.

“두 분이 로맨틱한 분위기를 잡는 데 내가 끼어 있으면 안 되죠. 게다가 디젤도 아프니까, 나는 그냥 집에 있는 게 좋겠어요.”

“아니야, 모두 함께 가야지. 다 같이 있는 자리에서 할 이야기도 있고."

"그런데 비키니 수영복은……."

나는 말끝을 흐렸다. 때마침 수의사와 함께 디젤이 절뚝거리며 걸어오고 있었기 때문이다. 디젤은 대형 안테나처럼 생긴 하얀색 목 보호대를 하고 있었다.

"디젤!"

디젤에게 달려가 껴안으려 애썼지만, 딱딱한 플라스틱 목 보호대가 내 얼굴을 마구 긁었다. 디젤은 낑낑대면서 고개를 이리저리 흔들었다.

목에 두른 거 너무 불편해. 떼어 내고 싶어.

"이 깔때기를 계속 하고 있어야 하나요?"

내가 디젤의 이마를 쓰다듬으며 묻자, 수의사가 금방 고개를 끄덕였다.

"언제까지 하고 있어야 해요?"

"적어도 이번 주까지는. 그리고 조용한 곳에서 안정시키도록 해. 그게 제일 좋아."

나는 집으로 돌아가자마자 모건에게 전화를 걸었다.

"디젤은 괜찮아. 기적 같은 일이지. 하지만 안정을 취해야 해서 집에서 쉬어야 해. 게다가 나는 오늘도 루앤을 돌봐야 하고. 어때, 우리 집으로 올래?"

"너희 집으로 초대하는 거야? 와우, 오늘 대체 무슨 날이야?

내 생일인가?"

"무슨 소리야? 너, 맨날 우리 집에 오잖아."

"그렇지만 네가 이렇게 초대한 적은 없었지. 그래, 알았어. 5시까지 갈게."

나는 전화를 끊고 아래층으로 내려갔다. 아빠는 막 집을 나서려던 참이었다. 발걸음이 경쾌한 걸 보니, 엄마랑 이야기가 잘된 모양이었다.

"엄마가 소풍 간대요?"

"응, 호숫가로 소풍을 같이 가면, 내가 일찍 와서 짐 싸는 걸 도와주겠다고 했거든."

"짐 싸는 걸 돕겠다고 하다니……, 잘하셨어요."

아빠가 한쪽 입꼬리를 올리며 환하게 미소를 지었다. 그러다 바닥에 웅크리고 앉아 손으로 내 턱을 살며시 잡았다.

"무슨 일이 있어도, 네 엄마와 나는 너를 언제까지나 사랑할 거야. 내일 소풍 때 어떤 일이 생기더라도 그 사실만큼은 절대 변하지 않아."

나도 잘 알고 있었다. 하지만 우리 가족이 다시 모이기를 간절히 바라고 있었다. 손목시계를 확인하자, 여전히 '7월 1일, 목요일, 4시 30분'을 표시했다. 드디어 내일이면 손목시계가 가리키는 날이다. 내일 있을 호숫가 소풍에서 모든 게 바뀔지도 몰랐다.

모건은 오후 늦게야 디젤의 선물을 가지고 우리 집으로 왔다. 육포 한 봉지와 전에 즐겨 보았던 영화 〈래시〉의 DVD였다.

우리는 지하실에서 영화를 보며 중간중간 이야기를 나눴다. 나는 내일 있을 소풍에 관해 털어놓고는, 아빠의 작전이 엄마에게 잘 먹힐지 걱정이 된다고 말했다.

그러자 모건이 나를 안심시키려 애썼다.

"나라면 걱정하지 않을 거야. 너희 아빠는 엄마를 도와 짐도 싸 주시고, 엄마를 위해 음식도 만드실 거잖아. 그래도 잘 안 되면 그냥 운명이 아니었던 거지."

운명이 아니다……. 이건 무슨 뜻일까? 운명이 이미 정해진 일은 바꿀 수 없다는 뜻일까? 하지만 나는 그렇게 생각하지 않았다. 나의 선택과 행동이 내 삶을 변화시킬 수 있다고 믿었다.

우리는 영화 마지막 부분에서 래시가 폭포 아래로 떨어졌을 때, 결국엔 살아남을 것을 알면서도 엉엉 울었다. 나는 고개를 숙이다가 손목시계가 나타내는 내일의 날짜와 시각을 보고 울컥해서 더 격하게 울었다. 물속으로 가라앉을 때의 느낌이 어떤지 너무나 생생히 알아서 그랬는지도 모르겠다.

나는 숨을 크게 들이마시셨다가 천천히 내쉬었다. 4시 30분은 내게 아무런 의미도 없는 시각이었다. 물에 들어가지 않는 한 물에 빠져 죽을 일은 없을 테니까. 나는 아예 물 근처에도 가지 않을 참이었다.

"나는 이제 집에 가 봐야겠다."

엔딩 크레딧이 올라가자 모건이 자리에서 일어섰다.

"내일 소풍 갈 때 나를 초대할 생각은 없지, 그렇지?"

"정말로 거기에 가고 싶어? 우리 아빠가 뭔가 큰일을 꾸미고 계실지도 모르는데?"

"응, 그렇다면 더더욱 놓칠 수 없지."

"그냥 집에서 디젤이나 좀 봐줄래? 조용히 안정을 취해야 하거든."

안 돼!

내 말에 디젤이 낑낑거리며 외쳤다.

나는 거기에 꼭 가야 해!

급기야 디젤이 몸을 일으켜 내 얼굴을 핥았다.

"와우, 다친 개치고는 꽤 활동적인데? 돌보는 게 만만치 않겠어. 하지만 좋아! 디젤이랑 집에 있을게."

안 돼, 안 돼, 안 돼! 우리 전부 다 거기에 가야 해!

디젤이 왈왈 짖었다. 그러자 모건이 말했다.

"재가 저렇게 흥분한 모습은 처음 봤어. 우리 대화 내용을 다 듣고 있는 것 같지 않니?"

나는 얼굴을 설핏 찌푸렸다.

내가 널 구해 줄게.

디젤이 발을 질질 끌고 오더니 다시 짖기 시작했다.

"쉿, 조용히 해!"

나는 디젤에게 짐짓 소리 내어 말했다. 디젤은 숨을 헐떡이며 두 눈을 반짝였다. 나는 한숨을 폭 내쉬었다.

"에라, 모르겠다. 일단 루앤을 데려가야 해. 그럴 거면 디젤도 데려가는 게 좋겠어. 그래, 너무 겁먹지 말자."

내 말에 모건이 신이 나서 떠들어 댔다.

"톰하고 시몬이 조르바의 테라스 식당 앞 부두에서 놀고 있을지도 몰라. 어쩌면 다른 애들도……. 내일 공짜 아이스크림이 있다고 들었거든. 어쩌면 너희 엄마랑 아빠한테 둘만의 시간을 드릴 수 있을지도 몰라. 디젤이 쫓아다닐 원반은 없으니까 너무 걱정하지 말고."

'조르바의 테라스 앞 부두, 공짜 아이스크림…….'

공포심이 등골을 타고 짜르르 흘러내렸다. 나는 그곳에 가지 않을 것이다, 절대로! 어쩌면 익사는 정말로 꿈이었을지도 모르지만, 굳이 내 운명을 시험해 보고 싶지는 않았다. 나는 내 운명에 절대로 협조하지 않을 것이다.

그날 밤 디젤은 목에 보호대를 하고 있어서 평소처럼 침대 밑으로 들어갈 수가 없었다.

머리가 걸려.

나는 이불을 접어서 바닥에 깔아 주었다. 디젤은 이불 위에서 몇 번을 돌더니 한참 만에 자리를 잡았다. 하지만 머리를 편하게 뉠 방법을 찾지 못해 우두커니 한참을 앉아 있었다. 나는 희미한 불빛 속에서 디젤의 눈이 스르르 감기는 것을 가만히 지켜보았다.

디젤은 여전히 머리를 뉘지 못했다. 나는 자리에서 일어나 디젤의 목줄을 부드럽게 당기면서 좀 더 편한 자세를 취할 수 있도록 도와주었다. 그 서슬에 디젤이 눈을 번쩍 떴다. 갈색 눈동자에 졸음이 가득했다.

"디젤, 이렇게라도 누워 봐. 썩 물론 편하진 않겠지만……. 자, 나도 너랑 침대 밑에서 같이 잘게."

나는 디젤 옆에 베개를 내려놓았다. 그런 다음, 이불을 같이 덮었다. 디젤의 가슴이 요동치는가 싶더니, 한숨이 크게 새어 나왔다. 디젤의 등을 손으로 감싸자 손목시계가 걸리적거렸다. 나는 시계를 풀려고 손을 길게 뻗었다.

시간 카운터를 풀지 마! 이건 우리의 생명 카운터라고.

디젤이 고개를 들고 내 눈을 똑바로 바라보았다. 이 말을 소리 내어 말하고 싶었는지 연신 자신의 입술을 핥았다. 나는 디젤에게 시계 화면을 보여 주었다. 마치 디젤이 시계를 볼 줄 아는 것처럼. 어쩌면 그럴지도 몰랐다.

'보다시피 시계는 전혀 작동하지 않아.'

내가 말했잖아. 네가 안전해지면 시계가 다시 움직일 거라고.

디젤이 먼 곳을 보며 구슬피 울었다.

"그게 무슨 뜻이야? 넌 대체 뭘 알고 있는 건데?"

나는 디젤의 고개를 부드럽게 돌려 다시 내 쪽을 바라보게 했다.

그때까지는 아무 말도 할 수 없어. 약속했거든.

"그때까지라니, 그게 언젠데?"

이건 정말 말도 안 되는 일이었다. 디젤은 대체 무엇을 알고 있는 걸까? 디젤이 또 한 번 구슬피 울었다.

네가 안전해질 때까지.

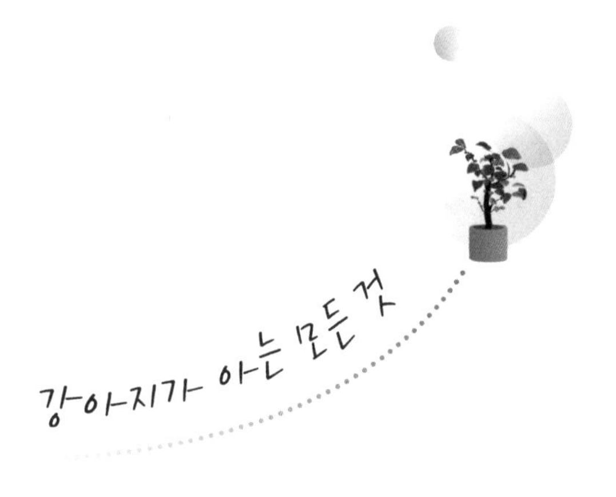

다음 날 아침, 나는 바닥에서 잠이 깼다. 어젯밤에 디젤과 주고받았던 이야기를 떠올리며 곰곰이 생각에 잠겼다. 나는 머릿속으로 디젤에게 말했다.

'그러니까 오늘 4시 30분만 넘기면, 시간이 다시 흘러간다는 거지? 우리는 안전해지고…….'

응.

문 두드리는 소리에 대화가 끊기고 말았다. 엄마가 방문을 열고 얼굴을 빼꼼 내밀었다.

"나오미, 일어날 시각이야. 아침 먹고 욕실에 있는 약장 좀 깨끗이 비워 줘."

나는 졸음이 가득한 눈을 손등으로 닦으며 물었다.

"소풍은 어떻게 됐어요?"

솔직히 말하면, 해밀턴 호숫가로 가지 않기를 바랐다. 그래야 우리가 안전해질 확률이 높아지니까.

"아, 그 얘기를 들으니까 생각나네. 네 아빠가 싸 놓은 그릇 상자부터 확인해야겠다. 아무래도 빨간색 식탁보를 거기에 넣어 둔 것 같아서. 이따가 그거 챙겨서 갈 거야."

만세! 만세! 서둘러!

나는 디젤을 보며 짐짓 눈을 깜빡였다.

'왜? 집에 있어도 되잖아. 그러면 나는 익사하지 않을 거야. 네 옆으로 자동차도 오지 않을 테고.'

그럴 순 없어. 하지만 걱정하지 마. 내가 너를 구해 줄 거야. 서둘러, 서두르라니까!

디젤이 왈왈 짖기 시작했다.

"알았어, 알았다고!"

나는 재빨리 옷을 갈아입고는 디젤과 함께 부엌으로 향했다.

엄마와 아빠는 벽에 걸린 액자를 내리고 있었다. 내가 약장을 비우는 동안 아빠는 이 이사가 모두에게 얼마나 좋은지, 그리고 가족이 함께 일하면서 서로 돕는 것이 얼마나 훌륭한 일인지 쉴 새 없이 이야기했다.

반면에 엄마는 짧게 짧게 대답했다. 집을 떠나기 위해 짐을 싸는 이 시간이 엄마에겐 장례식과 같았고, 아빠에겐 파티와 같았다.

이모가 루앤을 데리고 왔을 때쯤, 나는 약장의 물건을 거의 다 정리한 상태였다. 엄마는 어깨를 잔뜩 구부린 채 팔짱을 끼고 있었다. 이건 결코 좋은 징조가 아니었다. 아빠는 루앤의 카시트를 자동차 뒷자석에 설치하면서 휘파람을 불었지만, 엄마는 이모에게 작별 인사를 하는 것 외엔 아무 말도 하지 않았다.

우리는 아빠 차를 타고 모건네 집으로 향했다. 모건이 뒷좌석에 끼여 타면서 나를 가운데로 밀어 넣었다. 디젤은 모건과 내 무릎 위로 길게 엎드렸다.

창문 밖으로 머리를 내놓고 싶어.

'미안해, 디젤. 네 목에 있는 보호대 때문에 위험할지도 몰라.'

나는 디젤의 귀 주위를 살살 문질러 주었다.

우리는 호수를 따라 경치 좋은 길을 달렸다. 집마다 걸린 캐나다 국기가 우리에게 손을 흔들며 인사를 했다. 말 그대로 휴일을 알리는 신호 같았다. 아빠는 주변의 집들이 얼마나 예쁜지 연방 감탄하면서 수다를 늘어놓기 시작했다.

"내년이면 여기 있는 집 한 채를 빌릴 수 있을지도 몰라. 아니, 아예 살 수도 있지. 저기, 저 집 좀 봐. 무슨 성처럼 생겼네. 저게 우리 집이 될 수도 있어."

"꿈도 야무지시지."

엄마가 비아냥거렸다. 그러자 모건이 놀라서 나를 보며 눈썹을 추켜올렸다.

아빠는 긴장할수록 입에 모터가 달린 듯 말을 더 많이 했다.

게다가 아빠의 자동차 엔진은 가는 길에 두 번이나 멈췄다.

"안 그래도 다음 주 화요일에 점검받으려고 예약해 두었어."

아빠가 쾌활하게 말했다.

우리는 줄지어 선 나무들 옆 공터에 차를 세웠다. 완벽했다. 뽕나무 그늘에 야외 테이블이 놓여 있었고, 그 너머로 푸른빛 호수가 넓게 펼쳐져 있었다. 저 푸르른 빛을 보고 있자니, 나는 무엇이든 믿을 수 있을 것 같았다. 엄마도 그렇지 않을까?

그사이에 아빠는 트렁크를 열어 낡은 아이스박스를 꺼냈다.

"진짜로 음식을 준비해 온 거야?"

엄마가 놀란 표정을 지었다.

"나야 뭐, 이곳의 피시앤칩스를 무진장 좋아하지만 당신이 내에그 샐러드를 얼마나 좋아하는지 아니까."

"우리를 위해 샌드위치를 만들었다고?"

엄마 눈이 휘둥그레졌다.

"그래, 맞아. 그리고 루앤이 달걀을 먹어도 되는지 몰라서 바나나랑 요거트도 챙겨 왔지."

아빠가 아이스박스를 테이블 밑 의자에 내려놓았다.

파란색 호수 위로 요트 네 척이 떠 있었다. 호수를 미끄러지듯 나아가는 그 모습이 마치 하얀색 날개를 단 무용수가 춤을 추는 것만 같았다. 지난번과는 완전히 다른 풍경이었다. 숨 쉬는 게 조금 편안해졌다.

곧이어 아빠가 아이스박스에서 플라스틱 페트병에 담긴 데이지 한 다발을 꺼냈다. 데이지가 약간 시들어 있어서 그런지, 애써 로맨틱한 분위기를 잡으려는 아빠의 시도처럼 반은 애처롭고 반은 활기차 보였다.

"이 꽃은 당신 거야."

아빠가 엄마에게 말했다. 그걸 보고 디젤이 고개를 갸우뚱했다.

꽃이 맛있나?

"그냥 예쁘니까."

내가 소리 내어 대답했다.

"그래, 네 엄마처럼."

아빠 말에 엄마는 데이지가 꽂혀 있는 페트병을 받아 테이블에 올려놓으며 미소를 지었다.

"자, 신사 숙녀, 그리고 강아지 여러분, 이 자리에서 발표를 하나 하겠습니다. 최근에 나는 버스 운전기사 훈련 과정을 마쳤습니다. 그리고 세인트존스 구급차 필수 과정도……."

"그러니까 심폐 소생술을 할 수 있다는 뜻인가요?"

모건이 대뜸 물었다. 나는 모건을 팔꿈치로 쿡 찔렀다. 모건은 아빠의 중요한 연설을 방해하고 있었다.

"음, 그렇지. 일반적인 응급 처치도 할 수 있어."

아빠가 우리를 둘러본 뒤 컵을 들어 올리며 말을 이었다.

"지난 수요일에는 1종 대형 운전면허 시험에 합격했어. 9월부터는 오전과 오후에 한 번씩 스쿨버스를 운전할 거야."

"우아!"

나는 주먹을 허공으로 힘껏 날렸다.

"만세!"

모건도 환호했다.

"왈!"

디젤도 함께했다. 그런데 엄마는 전혀 신나 보이지 않았다.

"버스를 하루에 두 번만 모는 거야? 그걸로는 생활비가 안 나올걸?"

"그건 맞아. 하지만 보너스가 제법 괜찮아. 그 버스를 전세로 사용할 수도 있고, 웨스턴 타이어에서도 중간중간 교대로 일할 거야. 게다가 카시트만 있으면 내가 버스 운전할 때 루앤을 데리고 다닐 수도 있지. 그러면 캐시는 보육료를 아낄 수 있어."

"그건 캐시한테나 좋은 거지."

"아, 그리고 또 다른 계획이 있어. 경력이 쌓이면 시내버스 운전기사 정규직 자리에 지원하는 거야. 아니면 또 다른 면허를 따서 트럭을 운전하는 거지."

"당신이 운전을 잘하긴 해."

"내가 좀 잘하지. 자, 포도 주스를 들어서 건배하자고. 우리 인생의 새로운 시작을 위하여!"

"우리 인생?"

엄마의 눈썹이 갑자기 휙 올라갔다. 모건과 나는 재빨리 컵을 들어 올렸다.

"건배!"

모건이 외쳤다.

"새로운 삶을 위하여!"

나도 소리쳤다. 새로운 삶이 아니라면, 아빠와 디젤이 함께 있는 예전의 삶으로 돌아가거나.

"왈!"

완전한 무리를 위하여!

루앤도 고사리 같은 손으로 빨대 컵을 꽉 쥔 다음 오동통한 팔을 최대한 멀리 쭉 뻗었다. 우리가 루앤의 컵에 다 같이 컵을 갖다 대자, 루앤이 기뻐서 키득키득 웃었다. 엄마만 망설였다.

"이게 우리한테 어떤 변화를 가져올지 나는 잘 모르겠어."

"우선은 생활비를 제대로 갖다 줄 수 있을 거야."

아빠가 말했다. 그러고는 엄마가 컵을 들어 올리기도 전에 자신의 컵을 갖다 대었다. 아빠는 거품이 가득한 포도 주스를 재빨리 마신 뒤 '캬아!' 하고 길게 소리를 내뱉었다. 엄마는 한 모금도 마시지 않고 아빠를 그저 빤히 쳐다보기만 했다.

아빠가 또다시 입을 열었다.

"그리고 우리 가족이 다시 모여 살았으면 좋겠어. 생각해 봐. 우리가 캐시와 함께 살면 집세를 절약할 수 있잖아. 그러면 당신이 그동안 원했던 대학에도 돌아갈 수 있을 거야."

엄마는 절레절레 고개를 흔들었다. 전혀 예상치 못한 얘기에 당황한 건지, 아니면 이런 상황이 싫다는 건지 도무지 종잡을 수가 없었다.

이 와중에 모건은 샌드위치를 와작와작 먹느라 바빴다.

"정말 맛있네요. 아저씨, 이 에그 샐러드 비법이 뭐예요?"

"음, 우선 달걀과 셀러리를 아주 잘게 다지는 거야. 레몬즙도 넣고. 그리고 가능하면 최고로 좋은 마요네즈를 넣어야 해. 저지방 같은 건 넣지 말고. 양보다는 질이 더 중요하거든."

아빠의 입은 여느 때처럼 모터를 달기라도 한 듯 바삐 움직였다. 나는 샌드위치를 다 먹고 손가락을 핥으며 거들었다.

"지방도 어느 정도 먹어 줘야 한다니까요."

그러면서 엄마를 향해 미소를 지었다.

"단지 돈 때문만은 아니야."

마침내 엄마가 아빠에게 말했다.

"아빠, 저희 지금 아이스크림 먹으러 가도 될까요?"

더는 그 이야기를 듣고 싶지 않았다. 아빠한테 했던 내 조언이 왠지 틀린 것만 같았고, 아빠의 노력도 전부 헛수고가 될 것만 같았기 때문이다.

"그래, 너희는 저쪽에 가 봐. 우리 둘이서 이 문제에 관해 이야기를 좀 더 해 봐야겠어."

엄마가 대신 대답했다.

"자, 아이스크림을 사 먹도록 해. 거스름돈은 안 줘도 되니까, 모건이랑 루앤한테 맛있는 걸로 사 줘."

아빠가 지갑에서 20달러짜리 지폐 석 장을 꺼내 내게 주었다.

나는 디젤의 목줄을 잡고, 모건은 루앤의 유모차를 밀었다.

모래 때문에 유모차 바퀴가 잘 굴러가지 않아서 천천히 걸어야 했다.

"디젤 목줄 좀 풀어 줘. 호숫가에는 어차피 차가 안 다니잖아."

모건이 말했다. 맞는 말이었다. 디젤은 대형 안테나처럼 생긴 목 보호대만으로도 충분히 고통받고 있었다. 나는 목 보호대 아래로 손을 넣어 목줄을 풀어 주었다.

"지난밤에 사고를 당한 개치고는 꽤 잘 걷네."

모건이 쾌활하게 말했다.

우리는 계속해서 걸었다. 유모차가 이리저리 흔들려서 그런지, 루앤의 고개가 자꾸만 아래로 떨어졌다. 어느새 꾸벅꾸벅 졸고 있었다. 그래서 얼마 동안은 슬리퍼가 발바닥에 달라붙었다 떨어지는 소리만 딸깍딸깍 들렸다. 그사이에 우리는 야외 테이블에서 꽤 멀어졌다.

모건이 또다시 입을 열었다.

"우리가 거기 남아서 너희 아빠를 돕는 게 더 낫지 않았을까? 아까 보니까 너희 엄마를 잘 설득하시는 것 같지 않던데."

"네가 뭘 알아? 에그 샐러드는 우리 엄마가 세상에서 제일 좋아하는 음식이라고."

모건을 발로 훅 걷어차고 싶은 심정이었다. 모건의 말이 정확하게 들어맞았기 때문이다. 아빠는 엄마를 전혀 설득하지 못하고 있었다.

"그래, 엄청 맛있는 샌드위치였어. 그건 인정해 줘야 해. 그리고 너희 아빠는 스쿨버스 운전을 하면서 루앤까지 돌보려 하셨잖아. 너희 엄마 욕심이 너무 과하신 거 아냐? 대체 뭘 더 바라시는 거야?"

"너, 방금 뭐라고 했어?"

나는 발걸음을 뚝 멈췄다.

"내 말은, 너희 아빠가 애쓰시는 것만큼 효과가 있었으면 좋겠다는 뜻이야."

"네가 뭘 알아? 우리 아빠는 딱히 신뢰할 수 있는 사람이 아니야. 이번 여름만 해도 내게 수영을 가르쳐 준다고 했는데, 결국은 한 번도 실행에 옮기지 않았어. 생활비도 너무 적게 갖다 줘서, 우리가 결국 이모네 집으로 이사를 가야 하잖아. 그리고 아빠는 자동차 정비 공장에서 시간제로 일하는데도 정작 아빠 차는 너무 오래돼서 모퉁이를 돌 때마다 멈춰 서곤 하지."

"너는 정말로 아빠를 믿지 못하는구나?"

"나는 아무도 믿을 수 없어!"

그 순간에 깨달았다. 사실 모건이 내가 한 말 중에서 그 어떤 것에도 동의하지 않기를 바라고 있다는 걸.

나는 앞으로 뛰어나가며 소리쳤다.

"그냥 아무 말도 하지 마!"

쯧쯧, 무리 내에서 싸움이라니!

디젤이 왈왈 짖었다.

"재는 우리 무리가 아니야!"

나는 약이 올라서 괜스레 바락 소리를 질렀다.

"대체 무슨 말을 하는 거야?"

모건이 나를 따라잡기 위해 모래밭에서 유모차를 힘들게 밀며 중얼거렸다.

"아니야, 아무것도 아니야. 너한테 한 말이 아니라 디젤한테 한 말이었어!"

디젤이 갑자기 걸음을 멈추더니 낑낑거리기 시작했다. 디젤의 시선이 닿는 쪽으로 고개를 돌리니, 호수 쪽으로 쭉 뻗어 있는 부두가 보였다.

그 부두 쪽으로 어깨가 떡 벌어지고 무지무지 잘생긴 시몬이 걸어가는 게 보였다. 시몬은 수링의 손을 잡고 있었다. 나는 신음하듯 끙, 소리를 내며 손으로 이마를 짚었다.

모건이 말했다.

"9월이 되면 시몬이 수링을 멀리할 테니까 걱정하지 마. 너한테 반드시 기회가 올 거야."

"내 말 못 들었어? 아무 말도 하지 말라고!"

내가 소리치자 디젤이 또다시 왈왈 짖었다.

비엔나소시지 소녀는 우리 무리야.

"상관없어! 걔는 우리 편이 아니라고!"

나는 다시 한번 소리 내어 말했다. 모건이 걸음을 멈추고 고개를 갸우뚱하더니, 눈을 가늘게 뜨며 나를 바라보았다.

"너, 괜찮니?"

"아니, 안 괜찮아!"

나는 앞으로 후다닥 뛰어나갔다. 그러다 그만 비틀거리며 바닥에 넘어지고 말았다. 너무 비참해서 고개를 들 수가 없었다. 모든 게 잘못되고 있었다.

내 키는 이번 여름 방학 동안 그다지 자라지 않을 거다. 그래서 고등학교에 가서도 땅콩이라고 불릴 터였다. 하지만 이보다 더 나쁜 건, 아빠와 엄마가 다시는 합치지 못할 거라는 사실이었다. 모건의 말이 맞았다.

새들이 헤엄치고 있어. 한 마리 잡아 올게.

디젤이 왈왈 짖었다. 그러더니 첨벙, 하고 물이 튀기는 소리가 들렸다.

"디젤, 안 돼!"

모건이 소리쳤다.

"디젤, 돌아와!"

나도 소리를 질렀다. 청둥오리 두 마리가 일렁이는 물결에 몸을 맡기고 둥둥 떠 있었다. 디젤이 물살을 가르며 청둥오리를 향해 나아갔다.

잠시 후 목 보호대 안에 물이 차올랐다. 디젤은 그 사실을 깨닫지 못한 것 같았다. 호숫가에서 몇 미터 떨어진 곳까지 나아가더니 이내 파도에 휩쓸렸다.

"디젤, 거기서 나와!"

디젤은 몸을 바로 세웠다. 그러고는 다리를 휘저으며 청둥오리를 계속 쫓아갔다. 그럴수록 목 보호대가 디젤의 머리를 점점 물속으로 끌어내리고 있었다.

"디젤!"

나는 안간힘을 쓰며 비명을 질렀다.

"나오미, 우리가 도와줘야 해."

모건은 유모차를 놔두고 셔츠와 반바지를 벗었다.

나는 그 자리에 얼어붙었다. 모건은 나를 이해하지 못할 터였다. 나는 저기에 갈 수 없었다. 이번에는 디젤과 나, 둘 다 익사할 테니까.

"저기, 부두에서 뛰어내리자. 그러면 디젤한테 더 빨리 갈 수 있을 거야."

모건은 나를 기다리지 않고 냅다 달려가기 시작했다.

나는 넘실대는 파도를 멍하니 바라보았다. 지난번보다 더 높은 것 같았다. 요트들은 저 멀리에 하얀 점처럼 박혀 있었다. 부두에는 아무도 없었다. 시몬과 수링은 조르바의 테라스에 앉아서 우산이 꽂혀 있는 음료를 홀짝이며 서로의 얼굴만 바라보고 있었다.

나는 루앤을 확인했다. 여전히 깊은 잠에 빠져 있었다. 그리고 내 시계는 평소처럼 4시 30분을 나타내고 있었다. 디젤을 구할 수 있는 시간이 얼마 남지 않았다. 나는 반바지와 윗도리를 벗고 모건을 뒤쫓아갔다.

디젤은 파도 속에서 허우적거리고 있었다. 짖지도 깽깽거리지도 않았지만, 나는 디젤의 생각을 들을 수 있었다.

너무 피곤해. 더는 견딜 수가 없어. 저 새를 잡아야 하는데.

모건이 부두를 쿵쾅쿵쾅 뛰어갔다.

"나오미, 얼른!"

나도 모건을 쫓아 부두 끝까지 달려갔다. 모건이 뒤돌아 나를 보며 손을 내밀었다. 등줄기를 따라 소름이 오스스 돋았다. 시계를 들여다보았다.

"못 하겠어. 난 수영을 할 수 없잖아."

"아냐, 할 수 있어! 디젤을 구해야지!"

나는 머리를 흔들었다. 순간, 고개를 들어 보니 세찬 파도가 디젤을 휩쓸고 지나가는 게 보였다.

"자, 내 손을 잡아. 날 믿으라고!"

모건의 잿빛 눈동자가 내 눈을 똑바로 바라보았다.

믿어, 믿으라고.

나는 눈을 깜박인 다음 모건의 손을 내려다보았다. 모건의 손이 초조하게 나를 기다리고 있었다.

우리는 무리 전부를 구할 수 있어.

나는 숨을 크게 내쉰 뒤 모건의 손을 잡았다. 그리고 같이 뛰어내렸다. 호숫물이 내 몸을 찰싹 때렸다. 코에 불이 붙은 듯 매웠고, 입에서는 쿨럭쿨럭 기침이 나왔다.

"물속에서 헤엄쳐. 하지만 내 옆에 꼭 붙어 있어야 해."

모건이 소리쳤다.

물은 수영장보다 더 짙은 초록빛을 띠고 있었다. 나는 물속으로 들어가 하얗게 빛나는 모건의 다리를 따라갔다. 우리는 헤엄치고 또 헤엄쳤다. 그러다 숨을 쉬기 위해 잠깐씩 물 위로 고개를 내밀었다. 디젤이 일 미터가량 앞에서 허우적거리고 있었다.

모건이 말했다.

"네가 디젤의 머리를 들어 올려. 나는 뒤에서 엉덩이를 받칠게."

'네 뒤엔 언제나 내가 있을 거야.'

모건이 자주 했던 말이다. 이제 모건은 디젤 뒤에 있을 것이다. 물 위에서 천천히 움직이자 물이 입안으로 쑥 들어왔다. 나는 또다시 기침을 했다.

"당황하지 마. 조금만 더 헤엄치면 돼. 그러고 나면 디젤을 안고 걸어 나갈 수 있어."

나는 디젤이 있는 쪽으로 계속 나아갔다. 아직 숨을 쉴 수 있었고, 헤엄도 칠 수 있었다. 하지만 디젤은 축 늘어져 있었다. 마치 차에 치인 것처럼. 나는 침을 꿀꺽 삼키고 앞으로 더 나아갔다.

모건이 말했다.

"거의 다 왔어. 디젤의 엉덩이를 내가 받치고 있을게."

나는 한쪽 팔로 디젤의 어깨를 감쌌다. 디젤의 머리가 매우 무겁게 느껴졌다. 다른 쪽 팔을 앞으로 내민 다음, 무릎을 접었다가 뒤로 곧게 폈다. 한 번, 두 번…….

"오, 이런. 루앤!"

모건이 갑자기 소리쳤다. 고개를 돌리자, 루앤이 유모차에서 나와 바닥으로 철퍼덕 고꾸라지는 게 보였다. 루앤은 곧장 일어나서 비틀비틀 걷기 시작했다.

"아, 안 돼. 들어오지 마!"

루앤은 킥킥거리며 앞으로 아장아장 걸었다.

"팔에 끼우는 튜브도 안 하고 있잖아. 얼른 돌아가!"

나는 목이 터져라 소리를 질렀다. 루앤은 계속 물속으로 걸어 들어왔다. 물이 루앤의 무릎까지 차올랐다. 파도가 치자 루앤이 잠시 걸음을 멈췄다. 깜짝 놀란 모양이었다.

두 번째 파도가 치는 순간, 루앤이 뒤로 벌러덩 넘어졌다. 루앤은 이제 웃지도 않았고, 어떤 소리도 내지 않았다. 아예 일어나려고도 하지 않았다.

"아빠! 엄마!"

나는 온 힘을 다해 소리를 질렀다. 손도 흔들었다. 하지만 너무 멀리 떨어져 있었다.

그때 갑자기 아빠가 고개를 돌려 이쪽을 보았다. 그러더니 자리에서 벌떡 일어나 손으로 우리를 가리키며 엄마에게 뭐라고 소리쳤다. 두 사람은 곧장 이쪽을 향해 달리기 시작했다. 한때 육상 선수였던 아빠는 긴 다리를 쭉쭉 뻗으며 빠르게 달려왔다. 아빠가 과연 제때 도착할 수 있을까?

그래도 루앤을 가만히 손놓고 보고 있을 수만은 없었다. 심장이 입 밖으로 튀어나올 것 같았지만, 나는 디젤을 손에서 놓고 루앤 쪽으로 서둘러 나아갔다.

가까스로 루앤을 물 밖으로 끄집어냈다. 루앤이 입에서 물을 푸푸 내뿜으며 울부짖기 시작했다.

뒤를 돌아보니 모건이 혼자서 힘겹게 디젤을 끌고 오고 있었다. 하지만 디젤의 머리는 물이 가득 찬 목 보호대 안에 축 늘어져 있었고, 모건은 죽을힘을 다하며 흐느끼고 있었다.

루앤을 호숫가에 두고 다시 물속으로 돌아갈까? 그러면 너무 위험할까? 나는 루앤을 한쪽 옆구리에 딱 붙인 뒤 물속으로 들어갔다. 그러고는 모건과 디젤에게 다가가 한쪽 손으로 디젤의 머리를 받쳤다.

'디젤, 내가 받치고 있어. 이제 괜찮아. 조금만 더 버텨.'

"너희 아빠가 도와주러 오신다!"

모건이 말했다.

나는 이제 그만 떠나야 해.

디젤이 말했다.

'안 돼, 디젤. 나랑 같이 있어.'

우리는 할 수 있는 한 빨리 호숫가 쪽으로 몸을 움직였다. 아빠가 달려와 내게서 루앤을 데려갔다.

"쉿, 쉿, 괜찮아. 울지 말고."

그런 다음 뒤돌아서 루앤을 엄마에게 건넸다.

"디젤, 일어나!"

나는 애원하다시피 말했다. 모건과 나는 너무나 지쳐서 모래

밭 위로 철퍼덕 쓰러졌다.

'청둥오리는 왜 쫓아간 거야? 쫓아가면 안 된다는 걸 네가 더 잘 알잖아!'

나오미, 곧 알게 될 거야.

아빠가 우리 옆에 무릎을 꿇고 앉았다. 그러고는 디젤의 목줄과 플라스틱 목 보호대를 풀었다.

내가 너한테 기회를 한 번 더 준 거야. 내 목소리를 들을 수 있게 한 것도 그 때문이고. 너는 이제 네 무리를 갖게 되었어.

디젤은 거의 죽은 것처럼 보였다.

아빠가 디젤의 발을 잡아 살짝 들어 올리더니, 손가락으로 배 쪽을 더듬더듬 누르며 말했다.

"뭔가가 느껴져. 개의 맥박이 얼마나 강해야 하는지는 잘 모르지만."

'네가 나한테 기회를 줬다고?'

나는 디젤에게 머릿속으로 물었다.

너를 구하기 위해서 내가 거기에 있어야 했는데.

'그런데 그 기회는 어떻게 얻은 거야?'

모든 걸 아는 분에게 물어보았지, 저쪽 세상에서.

아빠가 디젤을 오른쪽으로 굴렸다.

'모든 걸 아는 분이라고? 너, 진짜로 죽었구나!'

하지만 널 구할 수 있게 생명을 조금만 더 연장해 달라고 간청했지.

순간, 뭔가가 내 안에서 쿵 떨어지는 느낌이 들었다.

'그래서 이제 나를 구했으니 거래가 끝났다는 거야? 말도 안 돼!'

"디젤, 내 옆에 있어 줘. 제발!"

나는 큰 소리로 애원했다.

"나도 최선을 다하고 있단다."

아빠가 디젤의 입을 억지로 벌리고는 말려 있던 혀를 쭉 폈다. 그런 다음 디젤의 머리를 젖힌 뒤, 손으로 주둥이를 감싸 입을 막았다.

나는 손목을 내려다보았다. 숫자가 바뀌지 않았다. 결국 어떤 건 영영 바꿀 수 없는지도 몰랐다.

'디젤, 돌아와! 어떻게 된 일인지 말해 줘야지.'

아빠가 몸을 숙여 디젤의 콧구멍에 바람을 불어 넣었다. 디젤의 가슴이 차츰 올라갔다 내려오는 게 보였다. 아빠는 계속해서 숨을 불어 넣었다. 하지만 디젤의 눈은 계속 감겨 있었다. 한 번, 두 번, 세 번, 네 번. 그리고 다시, 한 번, 두 번…….

"하악, 하악, 하악!"

디젤이 갑자기 눈을 탁 뜨며 기침과 동시에 물을 토해 냈다.

"이제 숨을 쉬는구나!"

아빠가 몸을 뒤로 젖혔다. 디젤의 앞발이 살짝 흔들렸다. 놀랍게도 꼬리가 움직이고 있었다. 디젤은 일어나려 애를 썼다.

"디젤, 괜찮아. 그냥 쉬어."

아빠가 디젤의 털을 부드럽게 쓰다듬었다.

나도 디젤을 토닥이며 말했다.

"디젤, 가만히 있어."

디젤은 더 이상 움직이지 않았다. 갈색 눈동자로 나를 계속 쳐다보았다. 무언가를 알고 있는 듯한 눈빛이었다. 하지만 디젤은 내 머릿속에서 아무것도 말하지 않았다.

"너는 이제 안전해! 우리 모두 안전하지."

나는 디젤을 토닥이며 말했다.

아빠가 자리에서 일어나자, 엄마가 아빠 품에 와락 안겼다. 루앤은 그 사이에 끼어 있었다. 아빠가 엄마의 머리를 쓰다듬었다.

디젤의 입이 스르르 벌어졌다. 미소를 짓는 것처럼 보였다. 나는 디젤에게로 몸을 기울였다.

'자, 이제 말해 봐. 저쪽 세상은 어땠는지 말이야. 모든 걸 아는 분은 어때? 남자야, 여자야? 아니면 개인가?'

디젤이 꼬리를 흔들며 내 얼굴을 핥았다.

'다시는 나랑 말하지 않을 거야?'

디젤은 계속해서 내 얼굴만 핥았다. 머릿속으로 디젤의 목소리가 들리지 않았다.

"조금 전에 물에 빠져 죽을 뻔한 개치곤 무척 행복해 보이네."

모건이 내 옆에 쭈그리고 앉아 디젤의 귀를 살살 긁었다.

엄마는 아빠한테 입을 맞추고 있었다.

"왈!"

디젤은 내 머릿속에서 아무 말도 하지 않았지만 보조개를 만들어 보여 주었다. 모건이 엄마랑 아빠를 보며 말했다.

“개를 구하는 일이 에그 샐러드 샌드위치를 만드는 것보다 더 효과적이네.”

“샌드위치는 상관이 없었어. 모든 건 달걀이랑 관련이 있었지.”

내가 말했다. 모건이 나를 이상하게 쳐다봤지만, 나는 그냥 모건에게 윙크만 했다. 어쩌면 디젤이 우리 엄마와 아빠를 다시 만나게 해 주었는지도 모른다.

그 순간, 우리의 머리 위로 그림자가 길게 드리워졌다. 고개를 들어 보니, 뜻밖에도 시몬이었다.

“솔직히 좀 놀랐어, 생명을 구하다니. 너희 아빠랑 모건, 그리고…….”

시몬은 잠시 머뭇거렸다. 그러고는 내 눈을 똑바로 들여다보며 마치 음미하듯 내 이름을 불렀다.

“나오미.”

“애는 이제 겨우 수영하는 법을 배웠지.”

모건이 얄밉게 덧붙였다. 한 대 때려 주고 싶을 만큼…….

시몬이 우리 옆에 무릎을 꿇고 앉았다. 디젤은 내 다리에 꼬리를 찰싹찰싹 부딪쳤다. 디젤이 보내는 박수였다.

시몬이 디젤의 머리를 쓰다듬으며 말했다.

“너 말이야, 정말로 자주 곤경에 빠지는구나.”

디젤이 커다란 미소를 지으며 숨을 헐떡였다.

시몬이 일어나며 내게 말했다.

"우리는 식당 반대편에서 줄을 서고 있어. 아이스크림을 무료로 나눠 준대. 생각 있으면 우리랑 같이 가는 거 어때?"

"아니, 괜찮아. 점심을 많이 먹었거든."

내 말에 디젤도 짧게 짖으며 작별 인사를 했다. 적어도 내 생각엔 그랬다.

그러자 시몬이 다시 수링에게로 향했다.

"9월까지만 기다려."

모건이 말했다.

디젤은 꽤 만족스러운 표정이었다. 마치 이 사람들을 하나로 모으려고 일부러 물에 빠진 것처럼, 그리고 더 이상 내 머릿속에서 나와 대화할 수 없게 될 거라는 걸 진작부터 알고 있었다는 듯이.

하지만 그런 건 상관없었다. 디젤이 나를 위해 모든 걸 설명할 필요는 없었다. 나는 충분히 이해했다. 디젤은 나를 설득해 모건을 우리 무리에 넣도록 했다. 그리고 아빠가 얼마나 멋진 사람인지 엄마가 알아차리게 하는 데 성공했다.

'네가 두 번 다시 차에 뛰어들지 않는 한, 너랑 더는 말하지 못해도 나는 괜찮아.'

"넌 정말 똑똑한 개야."

내가 말하자, 디젤이 꼬리로 모래를 이리저리 흩날렸다.

모건이 말했다.

"개가 말을 할 수 있으면 좋겠어. 디젤이 뭐라고 말할지 무지

무지 궁금해."

"디젤이 뭐라고 하는지 안 들려?"

나는 디젤을 보며 미소를 지었다. 그리고 문득 손목시계를 들여다보았다.

"4시 40분이야! 이거 보여? 내 시계가 돌아가고 있다고!"

"잘됐네. 그리고 이제는 다른 아이 들처럼 휴대폰을 들고 다닐 때가 됐지."

"4시 40분이야."

나는 디젤에게 소리쳤다. 그러고는 디젤의 한쪽 귀를 들어 올리고서 부드럽게 말을 이었다.

"우리는 안전해. 너는 이미 알고 있었겠지만."

이제 내 머릿속에선 아무런 말도 들리지 않았다.

"우리는 살아남았어."

나는 디젤의 눈을 가만히 들여다보았다.

우리는 평범한 개와 주인으로 돌아왔다. 나는 디젤의 움직임을 지켜보면서 디젤이 무슨 생각을 하고 있을지 상상해 보았다.

만세! 앞으로 토스트를 더 자주 해 먹자고! 그리고 산책도! 편평한 쟁반도 갖고 놀자. 수영도 할 수 있지. 나는 우리 무리가 정말 좋아!

말은 더 이상 필요 없었다. 디젤은 내 인생의 가장 큰 즐거움이었다. 나는 다시 손목시계를 내려다보았다. 4시 41분이었다. 우리 둘 다 안전하다는 것, 제일 중요한 건 이것이었다.

"왈!"

디젤은 확실히 동의하는 듯했다.

"우리가 디젤의 목숨을 두 번이나 구했구나."

모건이 말했다.

"모건, 고마워!"

믿어, 믿으라고.

방금 들렸던 말은 디젤의 생각이 아니었다. 디젤이 언젠가 나한테 한 말을 기억해 낸 거였다.

디젤이 모건의 얼굴을 핥더니 내 쪽으로 돌아섰다.

'자, 디젤. 하나만 더 말해 줘. 네가 다 계획한 거였어? 그러니까 아빠를 영웅으로 보이게 하려고 일부러 물에 빠져 죽을 뻔했던 거야?'

디젤은 이제 내 머릿속에서 대답할 수 없었지만, 나는 이 모든 일에 대해 어떤 확신이 들었다. 나는 나의 느낌을 믿기로 했다.

나는 일주일 전으로 갔다

첫판 1쇄 펴낸날 2024년 1월 5일
2쇄 펴낸날 2024년 5월 27일

지은이 실비아 맥니콜 **옮긴이** 이계순
펴낸이 박창희
편집 홍다휘 백다혜 **디자인** 배한재
마케팅 박진호 **홍보** 김인진 **회계** 양여진

펴낸곳 (주)라임
출판등록 2013년 8월 8일 제2013-000091호
주소 경기도 파주시 심학산로 10, 우편번호 10881
전화 031) 955-9020, 9021 **팩스** 031) 955-9022
이메일 lime@limebook.co.kr **인스타그램** @lime_pub
홈페이지 www.prunsoop.co.kr

ISBN 979-11-92411-88-0 44840
979-11-951893-0-4 (세트)